# LOS CARPINTEROS

**Los Carpinteros**
Published in conjunction with the exhibition ***FLUID***,
8th Havana Bienal, National Museum of Fine Arts, Havana, Cuba.
*Publicado conjuntamente con la exposición **FLUIDO**,*
*8va Bienal de La Habana, Museo Nacional de Bellas Artes, La Habana, Cuba.*

Design and Prepress / *Diseño y elaboración*: Don Fuller
Editors / *Editores*: Alexa Favata / Noel Smith
Editorial Assistants / *Asistentes editoriales*: Izabel Galliera / Ingrid Blanco
Translation / *Traducciones*: Ileana Fuentes
Printing / *Imprenta*: Rinaldi Printing, Tampa, Florida

ISBN: 1-879293-17-X

Project sponsored by / *Proyecto patrocinado por*
Institute for Research in Art: Contemporary Art Museum | Graphicstudio
Anthony Grant, Anthony Grant, Inc., New York
The Victory Foundation, Tampa, Florida
Rafael Acosta de Arriba

The USF Contemporary Art Museum is recognized by the State of Florida
as a Major Cultural Institution and receives funding through the Florida
Department of State, Florida Arts Council and the Division of Cultural
Affairs. USF CAM is accredited by the American Association of Museums.
*El Museo de Arte Contemporáneo de la USF está catalogado de "institución cultural*
*de relevancia nacional" por el estado de Florida, y recibe fondos del Departamento*
*de Estado de la Florida, del Consejo de las Artes de la Florida, y de la División de*
*Asuntos Culturales.*

Image: ***La Mano Creadora / The Creative Hand*** (detail), 2000
Madera / Wood
104 x 84 x 6.4 cms / 41 x 33 x 2.5 in.
*Imagen cortesía de / Image courtesy of Marc Selwyn Fine Art*

*FLUID / FLUIDO*
**Exhibition by Los Carpinteros** / *Exposición de Los Carpinteros*
**National Museum of Fine Arts** / *Museo Nacional de Bellas Artes*
Havana, October 31 – December 31, 2003 / *La Habana, 31 de octubre – 31 de diciembre 2003*

President of the National Council of Visual Arts / *Presidente del Consejo Nacional de las Artes Plásticas*
**Rafael Acosta de Arriba**
Director of the National Museum of Fine Arts / *Directora del Museo Nacional de Bellas Artes*
**Moraima Clavijo Colom**
Curator of the Exhibition / *Curadora de la exposición:*
**Corina Matamoros Tuma**

Assistant Curator / *Asistente de curaduría:* Aylet Ojeda Jequim
International Management / *Gestión internacional:* Heriberto Rodríguez, Raúl Fragoso
Exhibition Designers / *Museografía:* Los Carpinteros; Carlos Gálvez, Architect / *Arquitecto*
Preparators / *Montaje:* MNBA Preparators Staff / *Equipo de montaje*
Information Office / *Centro de Información:* Miriam Piedra, Regla Portes
Communications / *Comunicación:* Yadira Rubio, Niurka Díaz, Nadia Karandashov

**INSTITUTE FOR RESEARCH IN ART**
**CONTEMPORARY ART MUSEUM | GRAPHICSTUDIO**

**Staff** / *Personal*
Margaret A. Miller, Director / *Directora*
Alexa Favata, Associate Director / *Vicedirectora*

**Contemporary Art Museum** / *Museo de Arte Contemporáneo*
Vincent Ahern, Coordinator, Public Art / *Coordinador de arte público*
Peter Foe, Collections Curator / *Curador de colecciones*
Don Fuller, New Media Curator / *Curador de nuevos medios*
Mandy Kalajian, Events Coordinator / *Coordinador de eventos*
Devon Larsen, Registrar / *Registrador*
Stephen Marcinowski, Assistant to the Director / *Asistente del director*
Lawrence Mize, Preparator / *Preparador*
Anthony Wong Palms, Exhibitions Coordinator / *Coordinador de exposiciones*
James Rodger, Preparator / *Preparador*
David Waterman, Security / *Seguridad*
Randall West, Business Manager / *Gerente de operaciones*
Jill Zevenbergen, Program Assistant, Public Art / *Asistente del programa de arte público*

**Graphicstudio**
Tim Baker, Research Associate / *Investigador adjunto*
Marcia Ann Brown, Curator, Prints and Sculpture Multiples / *Curadora de grabado y esculturas múltiples*
Sarah Howard, Research Associate / *Investigadora adjunta*
Izabel Galliera, Education Assistant / *Asistente de docencia*
Nicole Kruszka, Program Assistant / *Asistente de programas*
William Lytch, Photographer / *Fotógrafo*
Kristin Myers, Registrar / *Registradora*
Tom Pruitt, Shop Manager / *Coordinador del taller*
Deli Sacilotto, Director of Research / *Director de investigaciones*
Noel Smith, Curator of Education / *Curadora de docencia*
Kristin Soderqvist, Director, Sales and Marketing / *Directora de ventas y mercadeo*
Eric Vontillius, Sculpture Coordinator / *Coordinador de escultura*

# CONTENTS

# CONTENIDO

# FOREWORD AND ACKNOWLEDGEMENTS

# PRÓLOGO Y RECONOCIMIENTOS

The art of Los Carpinteros, displayed in the permanent collection since 2001, today floods the courtyard of the Cuban Art building of Cuba's National Museum of Fine Arts, as part of the festival of the visual arts that is the 8th Havana Bienal.

This is a grand individual exhibition, for although three artists make up Los Carpinteros, they form a collective, and have chosen to forfeit their individual names to embrace a modest anonymity. Nonetheless, theirs is a most authentic signature, for 'Los Carpinteros' means much more than the name of a craft. It is a new way to make sculpture from everyday life, as it integrates precise reckonings and the domestic into a popular language that becomes part of its environment, rearranging referents and breathing poetry into the artists' versions of the objects that surround us.

Margaret Miller and Noel Smith, from Graphicstudio, the splendid and original workshop at the University of South Florida in Tampa, have made this excellent catalogue possible for the Los Carpinteros exhibition. Graphicstudio has collaborated with many important artists and has advanced the rigorous study of contemporary art forms.

As for our Carpinteros, they need no introduction, only space in which to turn their dreams into reality. Today, that welcoming space is this museum; this excellent catalogue will further acquaint us with the artists' enormous talent and boundless dedication.

Moraima Clavijo Colom
Director
National Museum of Fine Arts
Havana, Cuba

La presencia de la obra de Los Carpinteros – ya incluida en las salas permanentes desde hace dos años – inunda ahora el patio del edificio de Arte Cubano del Museo Nacional de Bellas Artes en esa fiesta de las artes plásticas que es la VIII Bienal de La Habana.

Esta es una gran exposición individual, porque su universo es uno aunque ellos sean tres y hayan decidido renunciar a sus nombres propios y abrazar este modesto anonimato. Esta sin embargo se convierte en la más auténtica de las firmas, porque Los Carpinteros significan mucho más que el nombre de un oficio. Es una nueva manera de hacer escultura de la cotidianeidad, integrar el cálculo exacto y lo doméstico como popular en la medida en que forma parte del entorno conocido, recolocar los referentes e imprimir de un halo poético sus versiones de los objetos que nos rodean.

Margaret Miller y Noel Smith, animadoras del formidable y original taller Graphicstudio en la Universidad del Sur de la Florida – institución que ha acogido a algunos de los más importantes artistas contemporáneos y al mismo tiempo ha estudiado con rigor y acierto estas manifestaciones – han hecho posible este excelente catálogo de nuestros Carpinteros, que no requieren presentación sino espacio, para convertir en realidad sus sueños. Este espacio es hoy el del museo que los acoge, y este catálogo excelente nos hará acercarnos un poco más al enorme talento que se complementa con esta laboriosidad sin límites.

Moraima Clavijo Colom
Directora
Museo Nacional de Bellas Artes,
La Habana.

Los Carpinteros, the Museo Nacional de Bellas Artes in Havana, and The Institute for Research in Art at the University of South Florida (USF) in Tampa collaborated to oversee the fabrication of the installation *Fluido* and to produce the accompanying catalogue for the 8th Havana Bienal. This project honors and advances the rich historical connection between the cities of Havana, Cuba and Tampa, Florida. In the 1890s José Martí – the apostle of Cuban independence – traveled to Tampa's Ybor City to deliver eloquent speeches from the steps of cigar factories. His presence in Tampa stimulated support and funding for the island's struggle for liberty, uniting Havana and Tampa, and the resulting friendship has created a special international character for the Florida city. Aware of this rich heritage, the faculty of the University of South Florida has been working for years with its colleagues in Cuba on research in many fields of common interest – including now the visual arts.

The Institute for Research in Art is dedicated to research and experimentation in the visual arts. It includes both Graphicstudio, an artist workshop, and the Contemporary Art Museum. Its primary mission is to invite internationally acclaimed and emerging artists to Tampa to collaborate in the making of fine art prints and sculpture editions and to organize exhibitions of contemporary art.

Los Carpinteros make drawings, sculptures, and installations that engage important issues of global art discourse, while concentrating on an essential Cuban character. Los Carpinteros are working on a number of projects with Graphicstudio including sculptures, prints and the sets for a new opera based on the life of the Cuban composer Caturla. An exhibition of their new work will premier at the USF Contemporary Art Museum in the Spring of 2005 and travel in the United States.

I extend my thanks and appreciation for their support to Rafael Acosta de Arriba, President of the Consejo Nacional de Artes Plásticas and Moraima Clavijo Colom, Director of the Museo Nacional de Bellas Artes. I am grateful to Corina Matamoros Tuma, Curator of Contemporary Cuban Art at the Museo Nacional de Bellas Artes; Lilian Tone, Assistant Curator of Painting and Sculpture, Museum of Modern Art in New York; and Laura Hoptman, Curator of Contemporary Art

Los Carpinteros, el Museo Nacional de Bellas Artes en La Habana, y el *Institute for Research in Art* de la Universidad del Sur de la Florida (USF) en Tampa colaboraron en sobreseer la fabricación de la instalación *Fluido* y publicar el catálogo que acompaña la obra, con motivo de la 8va Bienal de La Habana. Este proyecto honra y fomenta la profunda conección histórica que existe entre las ciudades de La Habana, Cuba y Tampa, Florida. A partir de 1890, y durante esa década, el Apóstol de la independencia de Cuba, José Martí viajó varias veces a Ybor City, Tampa, donde pronunció elocuentes discursos desde la palestra de las fábricas de tabaco. Su presencia en Tampa ganó respaldo y apoyo financiero para la lucha por la independencia en la isla. Así se forjó el vínculo entre La Habana y Tampa, y la amistad que se fraguó de esa coyuntura le ha dado a la ciudad floridiana un corte internacional muy especial. Consciente de esta prodigiosa herencia, el profesorado de la Universidad del Sur de la Florida lleva varios años trabajando con sus colegas en Cuba en la investigación de diversos campos de mutuo interés, incluyendo, como hace patente esta colaboración, las artes plásticas.

El *Institute for Research in Art* propicia la investigación y experimentación en las artes plásticas. Conforman el instituto *Graphicstudio*, un taller de arte, y el Museo de Arte Contemporáneo. Su misión principal es la de invitar a artistas de renombre internacional y también a los emergentes, a venir a Tampa para juntos desarrollar una colaboración que culmine en la producción de ediciones de grabados y esculturas y en el montaje de exposiciones de arte contemporáneo.

Los Carpinteros ejecutan dibujos, esculturas e instalaciones que abordan temas importantes dentro del discurso global de las artes, al tiempo que concentran en su trabajo la esencia del carácter cubano. Los Carpinteros desarrollan en la actualidad una serie de proyectos con *Graphicstudio*, que incluye esculturas, grabados y la escenografía para una ópera nueva basada en la vida del compositor cubano Caturla. Una exposición itinerante de esta nueva obra se inaugurará en el Museo de Arte Contemporáneo de nuestra universidad en la primavera del 2005, que luego viajará a museos en Estados Unidos.

Por el apoyo que nos han brindado, quiero expresarle mi más profundo agradecimiento a las siguientes personas: a Rafael Acosta de

at Carnegie Museum of Art, Pittsburgh, for their insightful essays. Without the generous support of Anthony Grant, Inc., we could not have realized the installation and catalogue; the Victory Foundation of Tampa has underwritten our exchanges with Cuba. I acknowledge Noel Smith, Curator of Education, USF Institute for Research in Art, for her organization and collaboration with our relationships in Cuba and the Los Carpinteros projects. We are indebted to the artists, Alexandre Arrechea, Marco Castillo and Dagoberto Rodríguez, for enriching our experience of art and for adding another link to the chain of friendship that joins Havana and Tampa.

Margaret A. Miller
Director and Professor
University of South Florida, Tampa
Institute for Research in Art
Contemporary Art Museum | Graphicstudio

Arriba, presidente del Consejo Nacional de Artes Plásticas, y a Moraima Clavijo Colom, directora del Museo Nacional de Bellas Artes. Estoy agradecida por sus excelentes ensayos a Corina Matamoros Tuma, curadora de arte contemporáneo cubano del Museo Nacional de Bellas Artes; a Lilian Tone, curadora adjunta de pintura y escultura del Museo de Arte Moderno de Nueva York, y a Laura Hoptman, curadora de arte contemporáneo del Museo de Arte Carnegie, en Pittsburgh. Además, es gracias al generoso apoyo del Sr. Anthony Grant que se han logrado la instalación y el catálogo de este proyecto; la Victory Foundation de Tampa ha respaldado nuestros intercambios con Cuba. Quiero reconocer también la labor organizadora de Noel Smith, curadora de educación del *Institute for Research in Art* de USF, por su colaboración en el desarrollo de nuestras relaciones en Cuba y el proyecto de Los Carpinteros. Finalmente, tenemos una eterna deuda de gratitud con los artistas, Alexandre Arrechea, Marco Castillo y Dagoberto Rodríguez, porque no sólo han enriquecido nuestra experienca del arte, sino que han añadido un eslabón más a la cadena de amistad entre La Habana y Tampa.

Margaret A. Miller
Directora y Profesora
Universidad del Sur de la Florida, Tampa
*Institute for Research in Art*
Museo de Arte Contemporáneo | *Graphicstudio*

# INVENTING THE WORLD      INVENTAR EL MUNDO
## CORINA MATAMOROS TUMA

In 1917, after paying the six-dollar fee for entering an open sculpture salon in New York, Mr. Mutt[1] submits a fountain that is rejected by the organizers as vulgar and suspected of plagiarism. In his appeal, Mr. Mutt argued that his fountain was not at all immoral, considering that urinals – as that was his piece – like any bathroom fixture, could be easily viewed in store windows. And as for plagiarism, he explains that making an object with his own hands has no importance; that what is really valuable is choosing an everyday item, altering its utilitarian value and bestowing upon it a new meaning.

After this Dadaist "low blow," objects were never the same. Later on, in 1924, Breton proposed the *oneiric object* and, in 1930, Dali the *object of symbolic function*. With the unfolding of Surrealist poetics, objects revealed themselves carriers of unusual meanings not perceived until then. Abstract expressionism, Pop art, and almost all of contemporary art would have been inconceivable without this new dimension in thinking brought on by the *Surrealist revolution*.[2]

But here we have Los Carpinteros, a trio of Cuban sculptors, who are bent on accomplishing the titanic task of filling the world with other objects and their consequent other explanations. In a manner of speaking, inventing the world.

Los Carpinteros emerge in the early '90s during very special times for the Cuban nation. On the one hand a period of great socio-economic contraction was beginning, and on the other, in light of the departure of many creators to Mexico, the United States and Europe, a new generation of very young artists – most of them students – began to fill already established artistic spaces or to demand new ones.

Before they became Los Carpinteros, the pedagogical guidance of René Francisco Rodríguez at the Superior Institute of Arts was very important. Their *La casa nacional* (The National House) project, 1990, created under his auspices, brought them close to the ongoing reassessment of the craftsmanship of colonial architecture at a time when Old Havana's restoration revival was at its peak. Two elements mark their beginning: one, the emphatic foray into the processes of woodwork and carpentry, once known for their dazzling splendor; and two, the pictorial documentation of their work.

En 1917, después de pagar los seis dólares reglamentarios para acceder a un salón libre de esculturas en Nueva York, Mr. Mutt[1] envía una fuente que fue rechazada por los organizadores al considerarse vulgar y sospechosa de plagio. En el texto en el que explica su reclamo, Mr. Mutt alega que su fuente no tiene nada de inmoral, puesto que los urinarios – tal era su pieza – como todos los artículos sanitarios, pueden verse tranquilamente en las vidrieras de las tiendas. Y en cuanto al plagio explica que el hecho de fabricar con sus propias manos un objeto no tiene ninguna importancia; que lo realmente valioso es elegir ese objeto de la vida cotidiana, cambiarle su valor utilitario y conferirle una nueva concepción.

Luego de este golpe bajo dadaísta los objetos ya no volvieron a ser nunca los mismos. Más adelante, en 1924, Breton propone el *objeto onírico* y Dalí el objeto de *funcionamiento simbólico* en 1930. Con el despliegue de la poética surrealista los objetos se revelaron portadores de significados inusitados que hasta entonces no habían sido percibidos. El expresionismo abstracto, el Pop y casi todo el arte contemporáneo hubieran sido inconcebibles sin esa nueva dimensión de pensamiento que arrastra la *revolución surrealista*.[2]

Pero he aquí que Los Carpinteros, el trío de escultores cubanos, están empeñados en la titánica tarea de llenar el mundo con otros objetos y sus consiguientes otros porqués. Como si dijéramos, inventar el mundo.

Los Carpinteros surgen a principios de los años 90 en momentos muy especiales para la situación cubana. Por un lado comenzaba a producirse un período de contracción económico-social muy grande, y, por otro, una nueva generación de artistas muy jóvenes – estudiantes en su mayoría – empezaron a ocupar los espacios artísticos ya establecidos o a increpar por otros, en vista del desplazamiento de muchos creadores hacia México, España y Estados Unidos.

Antes de convertirse en Los Carpinteros, fue importante la orientación pedagógica de René Francisco Rodríguez en el Instituto Superior de Arte. El proyecto *La Casa Nacional* (en 1990), que realizaron bajo sus auspicios, los hizo adentrarse en la revalorización del trabajo artesanal de la arquitectura colonial, en momentos en que la reanimación restauradora de La Habana Vieja era muy fuerte. Esta incursión enfática en los procesos de ebanistería y carpintería

In the show *Pintura de caballete* (Easel Painting) held at Centro de Arte 23 y 12, Havana, in 1992, Los Carpinteros found their own method and their poetic direction. For several years they decided to focus on the conceptualization of construction itself, turning it into the actual subject of their work. And they achieved it by interdisciplinary collaboration, taking advantage of the imprecise borders between art and the crafts tradition of old while placing themselves in a highly ambiguous terrain. Let us say, for the moment, that they discovered a truly singular artistic realm, an uncharted territory. With the exhibition *Interior habanero* (Havana Interior) in 1994, they took advantage of the poetics and went public with a level of artistic skill that was and is very much appreciated in our context. That made them very popular. Pieces such as *Marquilla cigarrera cubana* (Cuban Cigar Label), *Ventana holandesa* (Dutch Window), *Quemando árboles* (Burning Trees), among others, showed innovative skill. Fully plunging themselves into the popular tradition of the fabulous Cuban cigar labels; taking texts from those same labels which they later reproduced for their portrait scenes; questioning the past from the vantage of the present; and evading the issue of whether the final product was art or craft, the trio elliptically took on social issues. They shielded themselves behind the alleged non-political nature of craft processes, and constructed sumptuous representations in precious woods that left us breathless. A true *bridge over troubled waters* in the Cuban nineties.

As time goes on, the work of Los Carpinteros seems more cerebral, as if proceeding from linguistic absurdities or literal equivocations. Around the leap that *Ciudad transportable* (Transportable City) – made for the 2000 Havana Bienal – seems to represent, the majority of the works confronts us with the paradox of improbable ideas incarnated as perfect objects: tables whose tops contain water; a metal file cabinet with an enormous wooden drawer that will never fit into its intended space; a famous Havana building converted into a chest of drawers; an impeccable staircase on whose steps are embedded electric stove coils; some fragile and graceful watchtowers, where people climb in order to chat; a coffee plantation where the crops are coffeepots. Their most recent devices have been the visual shock, the irrational correlation of materials or very dissimilar elements, the surprise of iconographic suggestion, the naturalism of an everyday object intercepted by an off the wall use or attribution, the humor provoked by the absurd, the preference for disturbing the functions of an object.

*Fluido* (Fluid), the project that we present in the National Museum, is a disturbing vision of what we tend to think of as a road. Departing from a paradoxical meaning, almost a visual wordplay, Los Carpinteros have made a synthesis of a highway and its opposite in a

que fueran antaño de una notoriedad deslumbrante, asociados a la documentación pictórica del trabajo, fueron sus comienzos.

En la muestra *Pintura de Caballete* (Centro de Arte 23 y 12, La Habana 1992) Los Carpinteros hallaron su propio método y su orientación de poética. Por varios años decidieron centrarse en la conceptualización de la actividad constructiva como tal, hasta convertirla en sujeto mismo de trabajo. Y lo realizaban en comunidad interdisciplinaria, aprovechando los lados imprecisos entre el arte y una tradición artesanal que se perdía en el tiempo, y colocándose en un terreno de alta ambigüedad. Digamos, por el momento, que descubrieron un ámbito artístico ciertamente singular, un campo inédito. Con la exhibición *Interior habanero* de 1994 esta poética fue explotada con niveles de elaboración artísticos muy apreciados en nuestro contexto y que los hicieron populares. Piezas como *Marquilla cigarrera cubana, Ventana holandesa, Quemando árboles*, entre otras, demostraron una eficacia novedosa. Metiéndose de lleno en la tradición popular de las fabulosas marquillas de tabaco cubano, tomando textos de esas mismas marquillas que luego reproducían para sus escenas de retratos, interpelando el pasado desde el presente, y eludiendo si el producto final era arte o artesanía, el trío asumió elípticamente los asuntos sociales, se amparó en la supuesta despolitización de los procesos artesanales, y construyó suntuosas representaciones en maderas preciosas que nos dejaron por entonces sin aliento. Un verdadero *bridge over troubled waters* en los noventa cubanos.

Con el paso del tiempo las obras de los Carpinteros parecen más cerebrales, como procedentes de absurdos lingüísticos o equívocos literales. Alrededor del salto que parece haber representado *Ciudad transportable* – realizada para la Bienal de La Habana del 2000 – la mayoría de las obras nos enfrentan con la paradoja de ideas improbables encarnadas en objetos perfectos. Mesas cuyas superficies contienen agua; un archivo metálico con una enorme gaveta de madera que nunca entrará en la cavidad predestinada; un famoso edificio habanero convertido en gavetero; una impecable escalera en cuyos peldaños yacen las huellas circulares de resistencias de cocinas eléctricas; unas frágiles y gráciles torres de vigía, donde la gente sube a charlar; un sembrado de café cuyas plantas son cafeteras. El choque visual, la correlación irracional de materiales o elementos muy disímiles, la sorpresa de la sugerencia iconográfica, la naturalidad del objeto cotidiano interceptada por un uso o una atribución descabellada, la humorada que provoca el absurdo, la preferencia por alborotar las funciones de un objeto, han sido sus claves más actuales.

*Fluido*, el proyecto que presentamos en el Museo Nacional, es una perturbadora visión de lo que habitualmente relacionamos

single structural element. This is so because the first thing we think of when we say the words way, road, trail, track, is a flat and smooth surface, something that allows us to glide along as easily as possible, be it via horse hooves, cart wheels or rubber tires. But it happens that this highway is both road and tire: a support that does not enable sliding and an object incapable of rolling. Impracticable transit, forbidden road, unity of opposites, visual irony, a demand that the streets be paved?

The highway is a puddle of giant drops, huge drops of rubber that will never roll. Instead, they resemble the natural way in which footpaths and puddles of water form in our landscapes: that is, under men's heavy boots, with people's footsteps, by the thickness of mud, even with rainfall. But this is an asphalt rain, shaking down from the sky, impossible to placate. An action that signals a contradiction, a reality that appeals to another logic, an image that suggests a different order. Los Carpinteros use the fluid highway (or the water-filled table, or the coffeepot plantation) to opt for a philosophical and critical commentary of things, slowly pushing their works toward a realm of visual entrapments. With overflowing ingeniousness they crumble absurdities, explore discords, test incompatibilities, rebuff arguments, suggest antipodes, and dispense multiple explanations. In every human act, in every corner of nature, there is a paradox susceptible to analysis. The moral of Los Carpinteros is confined to a sketch note, to an outline of the contradictory nature of things, to engaging the viewers as they pass. With their proverbial ambiguity (perhaps the resulting equation of the three personalities that make up the group, or perhaps from poetic cynicism) they have left us alone to fish, smiling at us and watching suspiciously to see what we catch in the waters that have spilled for a century from Mr. Mutt's fountain.

A product of their time, their work has also been influenced by powerful conceptual currents. The translocation of art practice towards the terrain of linguistics opened one of the most fertile changes to take place since the mid-twentieth century, particularly in Latin America. Conceptualism hit the streets, distancing itself from the principally self-referential preoccupations of art, and poured itself unto society, ideology, institutional conflicts and power. It also separated itself from the orthodox dematerialization of the object and proceeded to confer to it socio-political connotations relevant to the ups and downs of life on the continent, and to enrich it, insisting on its sensory qualities with the sole intention of connecting [the object] to the viewer in a more grounded manner and drawing it closer to a fervent commitment.

Without a doubt, one can feel all this when viewing Los Carpinteros' work. But when you walk with difficulty on (or rather in between) this "road," remember that we are in Cuba. Imagine for a

con un camino. Partiendo de un significado paradójico, de casi un juego de palabras visual, los Carpinteros han hecho la síntesis de una carretera y su contrario en un mismo elemento estructural. Porque lo primero que nos viene a la mente cuando decimos vía, camino, pista, carril, es una superficie plana y lisa, algo que permita deslizarnos lo mejor posible, ya sea con cascos de caballos, ruedas de carretas o gomas de carros. Y esta carretera es a la vez vía y neumático: soporte imposible para deslizamiento y objeto incapaz de rodamiento. ¿Tránsito impracticable, camino vedado, unidad de contrarios, ironía visual, reclamo de pavimentación?

La carretera es un charco de gotas gigantes, goterones de caucho que no rodarán nunca, que semejan más bien, desenfadadamente, la forma natural en que se hacen los trillos y los charcos de agua en nuestros paisajes: con el peso de las botas del hombre, con el paso de la gente, con el espesor del barro, con la caída de la lluvia. Pero esta es una lluvia de asfalto, trepidando desde el cielo, imposible de aplacar. Un acto que apunta una contradicción, un hecho que apela a otra lógica, una imagen que sugiere otro ordenamiento. A través de la carretera fluida (o de la mesa de agua, o del campo de cafeteras) los Carpinteros se deciden por el comentario crítico, filosófico, de las cosas, empujando lentamente a sus obras hacia un ámbito de coartadas plásticas. Con derroche de ingenio desmenuzan sinsentidos, exploran desacuerdos, tantean incompatibilidades, rebaten lógicas, sugieren antípodas, regalan argumentos. En cada acto humano, en cada porción de naturaleza, puede encontrarse en acecho una paradoja susceptible de ser analizada. La moraleja de los Carpinteros se circunscribe al apunte, al esbozo de la naturaleza contradictoria, al anzuelo que nos ceden al pasar. Con la ambigüedad de que son proverbiales (tal vez por la ecuación que resumen las tres personalidades del grupo, tal vez por cinismo de poética) nos han dejado pescando solos en las aguas y nos miran sonrientes y suspicaces para ver qué sacamos nosotros de las aguas que siguen fluyendo, desde hace un siglo, de la fuente de Mr Mutt.

Hijos de su tiempo, las poderosas corrientes conceptuales también han matizado sus quehaceres. Toda esa traslación de la práctica del arte hacia los predios de la lingüística abrió uno de los cambios más fecundos desde mediados del XX, particularmente en América Latina.

Porque aquí el conceptualismo salió a la calle, se distanció de las preocupaciones principalmente autorreferenciales del arte y se volcó hacia la sociedad, hacia la ideología, hacia los conflictos institucionales y del poder. Por demás, se apartó también de la ortodoxa desmaterialización del objeto y se dedicó a conferirle

moment '50s Chevrolets and Plymouths with Russian Lada engines; Russian washing machines cut in half to get rid of the permanently broken dryers; the implausible raised water tanks placed anywhere on the houses; half a century-old refrigerators repaired into infinity; rubber tops from Chinese penicillin vials serving as pressure cooker valves; industrial plastic boxes made into children's bicycle seats; the very *camello*[3]; fishing lines used to repair worn-out toilet parts… These could be the real rivals of the works of Los Carpinteros, their secret inspiration, their harshest judges, or, at the very least, their spiritual fathers.

Ever faster, in recent years, Los Carpinteros invent new objects to populate the world. Like lunatic builders, they make a beautiful hot sofa, with real stove elements, or a wheelbarrow that serves as a bathtub. And solemnly, as if redefining things, as if weighing all the variables, they deliver to us these goods, these new utensils, precious tools for thinking. Firmly settled in the realm of the domestic, they have decided to design a new universe, starting with something simple, like a table or a file cabinet, to a transportable city; from a pool to the inflatable highway. It is said that man can order everything, and like neighborhood da Vincis, their six hands are inventing a world lived in another way. Are they playing God? Will they make a galaxy of polished metal or of fine cotton tomorrow? Their projects have increasingly expanded the scale of intervention and perhaps they have a surprise for us: the likes of a different sky. Perhaps when we wake up tomorrow we'll find another horizon earnestly constructed with the ingenuity of a vintage-car mechanic.

Make no mistake about it: they are magnificent operators; they are conscientious builders. To flesh out their resumes, they have been masons, woodworkers, stokers, farm hands, librarians, engineers, blacksmiths… Every new object requires that they master a new profession. For every new material, they must experiment with a new trade; for every manufacturing challenge, they must understand a specific technology. And as talented inventors, they have applied themselves to the task with a startlingly nomadic range of skills.

I have seen them breaking their backs in the rubber factory at El Cotorro[4], trying to tame rubber, that mysterious and intractable material with which they made the preliminary studies for the construction of *Fluido*. There, with the help of the workers, in one of the tall and solitary warehouses they have tried every possible method of dealing with that material, of understanding its reactions, of guessing the effects of the toluene or the autoclave chamber. True technicians of rubber, delving into the secrets of chemistry!

They have gone where design does not. They have gone where function and comfort are affected by the satisfaction of desires; where

tanto connotaciones socio-políticas referidas a los avatares de vida del continente, como a enriquecerlo insistiendo en sus cualidades sensoriales, a fin de que lograra conectarse más terrenalmente con el espectador, tratando de llevarlo a un compromiso caliente.

Todo esto se siente sin dudas al ver las obras de los Carpinteros. Pero cuando Ud. camine con dificultad sobre (más bien entre) esta *carretera* recuerde que estamos en Cuba. Imagine por un instante los Chevrolets y los Plymouth de los 50 con motores de Lada, las lavadoras rusas cortadas a la mitad para suprimir la siempre rota secadora, los inverosímiles tanques de agua encaramados por cualquier parte de las casas, los refrigeradores de más de medio siglo reparados hasta el infinito, las válvulas de las ollas de presión sustituidas por tapitas de goma de bulbos de penicilina china, las cajas de plástico industriales adaptadas para sentar a los niños en las bicicletas, el mismísimo camello, la pita de pescar para remediar los viejos herrajes de baño… Estos podrían ser los verdaderos émulos de las obras de Los Carpinteros, sus secretos inspiradores, sus más severos jueces o, al menos, sus padres espirituales.

Cada vez más aceleradamente, en los últimos años, Los Carpinteros inventan nuevos objetos para poblar el mundo. A la manera de lunáticos constructores, hacen un bello sofá caliente, lleno de hornillas para cocinar, o una carretilla que sirve de bañadera. Y solemnemente, como quien vuelve a definir las cosas, como quien ha sopesado todas las variantes, nos entregan estos enseres, estos nuevos utensilios, preciosas herramientas para pensar. Asentados fuertemente en el ámbito de lo doméstico, han decidido diseñar otro universo: desde algo simple, como una mesa o un archivo, hasta una ciudad portátil; desde una piscina hasta la carretera inflada. Dicen que el hombre lo puede disponer todo y, como unos *da Vincis* del barrio, están inventando a seis manos un mundo habitado de otro modo. ¿Querrán jugar a los dioses? ¿Harán mañana una galaxia de metal pulido o a caso de fino algodón? Sus proyectos han ido ampliando cada vez más la escala de intervención y, tal vez, hasta nos tengan reservada la sorpresa de otro cielo; quizá nos levantemos mañana y tengamos otro horizonte donde ellos, con la ingeniosidad de un mecánico de carros viejos, habrán trabajado con ahínco.

Porque, eso sí, son unos operarios magníficos, unos constructores concienzudos. Han pasado, para más importancia curricular, por múltiples oficios: albañiles, ebanistas, fogoneros, sembradores, bibliotecarios, ingenieros, herreros…Cada nuevo objeto exige dominar una nueva profesión; cada material desconocido, experimentar otro *métier;* cada reto fabril, entender determinada tecnología. Y como inventores talentosos se han entregado bien a su tarea en un insospechado nomadismo de destrezas.

craftsmanship seems to stop, in solitude, after crossing the line of folklore. They have gone where architecture is benumbed by its parameters of service, requirements, and public vanity. Although they are a kind of sculptors, they don't have much relationship to Cuban sculpture. They are draftsmen of terrific objects, and yet they don't belong to the world of high design. Magnificent craftsmen that they are, they're neither traditional nor autochthonous.

And for what purpose? Reading a lot of design magazines, getting hooked on *Popular Mechanics*, going through tons of architecture books, immersing themselves in furniture catalogs, in interior design. All for what?

Los Carpinteros are constructing another world as a paraphrase of the world. They are making shrewd commentary about our lives through the utensils, architecture, engineering and crafts that define and denote us.

They have erected the domestic object as paraphrase of the universe. They have turned the exaltation of inventiveness into a recourse of daily resistance, the new logic of the artifact into illuminator of the surroundings, sculpture into social allegory.

Yes, remember with these inflatable highways that we are in Cuba and that the thought of building highways takes us back into history to the promises made by republican administrations during the first half of the twentieth century, when "water, roads and schools" were symbols of progress, the most hackneyed lure staged from the seats of power, and a great way to get rich from the public treasury. A national way of "inflating a balloon" [5] that Los Carpinteros seem to have taken literally, transforming the wise popular metaphor into a disconcerting reality. Don't let yourself be pressured by the artists (eventually, the works of art belong to us, the viewers). Think, think while you walk on this asphalt; imagine the thousand things in your life or your neighbor's life that are as contradictory as this so called highway… This curator only asks that you think about inventing the world, as you learn to inflate balloons (or highways) with Los Carpinteros.

Corina Matamoros Tuma. Havana, March-May 2003

Los he visto, en la gomera del Cotorro[3], romperse la espalda tratando de domeñar el caucho, ese material misterioso e indócil con que hicieron los estudios preliminares para la construcción de la *Carretera inflable*. Allí, en una de las altas y solitarias naves, han ensayado con los obreros del lugar todas las formas de tratar esa sustancia, de comprender sus reacciones, de aquilatar los efectos del tolueno o la aplicación de la cámara de autoclave. ¡Verdaderos tecnólogos del caucho adentrándose en los secretos de la química!

Se han metido allí donde el diseño no llega. Allí donde la función y el confort se amaneran en la satisfacción de los deseos. Allí donde la artesanía parece detenerse, solitaria, después de traspasar la línea del folklore. Allí donde la arquitectura se envara en sus parámetros de servicio, exigencias y vanidades públicas. Siendo una especie de escultores no tienen mucha relación con la escultura cubana. Delineando fulminantes objetos, no son gente del *high design*. Magníficos artesanos, no pertenecen a la tradición ni a la autoctonía.

Y todo esto para qué. Leer tantas revistas de diseño, aficionarse a *Mecánica popular*, revisar montones de libros de arquitectura, entregarse a los catálogos de muebles, a los estudios de interiores. Para qué.

Los Carpinteros están construyendo otro mundo como paráfrasis del mundo Están haciendo una glosa perspicaz de nuestra vida con los utensilios, las arquitecturas, las ingenierías y las artesanías que nos enmarcan y denotan.

Han erigido el objeto doméstico como paráfrasis del universo. La exaltación de la inventiva como recurso de resistencia cotidiana. La nueva lógica del artefacto como iluminadora del entorno. La escultura como alegoría de lo social.

Sí, recuerde con estas *Carreteras inflables* que estamos en Cuba, y que aquello de hacer caminos nos remite a la historia, a las promesas de gobernantes republicanos de la primera mitad del siglo XX, cuando "agua, caminos y escuelas" eran los símbolos del progreso, los señuelos más socorridos del poder y una gran manera de enriquecerse con el erario público. Una forma nacional de "inflar un globo" que los Carpinteros parecen haber tomado al pie de la letra transformando la sabia metáfora popular en una desconcertante realidad. No se deje presionar por los autores, (a la larga las obras de arte ya son nuestras, de quienes las miramos) piense, piense mientras camina por este asfalto, imagine las mil cosas que en su vida o en la de su vecino son tan contradictorias como esta supuesta carretera… Este curador solo le pide que piense – mientras aprende a inflar globos (o caminos) con Los Carpinteros – en inventar el mundo.

Corina Matamoros Tuma. La Habana, marzo-mayo 2003

(Footnotes)

1    Mr. Mutt was the pseudonym used by Marcel Duchamp for this occasion. See his text "Le cas Richard Mutt", *Art en théorie 1900-1990*, Hazan, Francia 1997.

2    Alluding to Andre Breton's expression that gave the title to the exhibit *La Révolution surréaliste*, Centre Pompidou, París, May-June, 2002.

3    Translator's note: *camellos* – camels – are very low fare buses, a Mack truck hauling trailers; they are named for their distinctive humped profile.

4    *Conrado Piña Rubber Factory*, located in the town of Cotorro, in the outskirts of La Habana.

5    The expression "inflating a balloon" is used when a person is making it up as he or she goes, or is exaggerating a reality. The phrase is somewhat related to the English "full of hot air." Unfulfilled political promises are "an inflated balloon," as is the person who makes big promises and doesn't deliver. Someone who lacks credentials but acts as if they did, is an inflated balloon. An unrealistic plan is also an inflated balloon.

(Notas y Citas)

1    Mr. Mutt fue el seudónimo utilizado por Marcel Duchamp para esta ocasión. Ver su texto "Le cas Richard Mutt", *Art en théorie 1900-1990*, Editorial Hazan, Francia 1997.

2    En alusión a la expresión de André Breton que dio título a la exposición *La Révolution surréaliste*, Centre Pompidou, París, marzo-junio 2002.

3    Fábrica de goma *Conrado Piña*, situada en el poblado del Cotorro, en la periferia de La Habana.

FLUID          FLUIDO

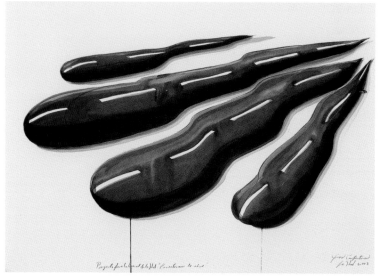

***Carreteras líquidas #2 / Liquid Roads #2***, 2002
75,5 x 103 cms / 29.7 x 40.5 in.
Acuarela, lápiz acuarela sobre papel /
Watercolor, watercolor pencil on paper
*Imagen cortesía del artista / Image courtesy of the artist*

***Carreteras de Aire / Air Roads***, 2003
75,5 x 106 cms / 29.7 x 41.7 in.
Acuarela, lápiz acuarela sobre papel /
Watercolor, watercolor pencil on paper
*Imagen cortesía del artista / Image courtesy of the artist*

***Fluido de Carreteras / Road Fluid***, 2002
67 x 101 cms / 26.3 x 39.7 in.
Acuarela, lápiz acuarela sobre papel /
Watercolor, watercolor pencil on paper
*Imagen cortesía del artista / Image courtesy of the artist*

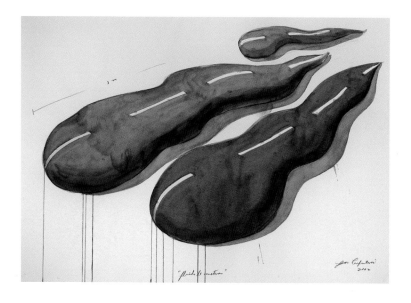

*Fluido* (esculturas preparatorias para la instalación) /
*Fluid* (preparatory sculptures for the installation), 2003
Resina de plástica urethane / urethane plastic resin
Dimensiones variables / variable dimensions
*Imagen cortesía de / Image courtesy of Graphicstudio*

# WORKING DRAWING

# DIBUJO COMO TRABAJO

## LAURA HOPTMAN

Drawing plays an important role in the oeuvre of Los Carpinteros and it is deployed by them with astonishing variety. Once used exclusively to describe black and white line work, the term drawing has come to include a range of media including watercolor, gouache, and crayon as well as the very act of mark-making, whether it be accomplished by an activity like walking, or even a mechanical function like an automatic lever or a user-propelled mouse or joystick. Drawing can also be divided in terms of what one could call its "purposeful context." A drawing can be preparatory for something else or meant to stand alone as a finished work. It can be an expression of a gesture, an illustration of an idea or a detailed observation of an object in nature, bound, perhaps, by certain conventions of three-dimensional imaging, as in architectural drafting. A drawing can be a record, or the "material registration of a conceptual process" [1] paradoxically making material even the most dematerialized artistic endeavors.

Although it has been said that drawing is "an open, interminable activity, ultimately unqualifiable in aesthetic terms," [2] each kind of drawing carries with it a specific history; although drawing itself seems to have always been around, the way that drawing has been deployed by artists and received by viewers has varied with the vicissitudes of time and taste. Depending upon the period, drawing can be "germinal," "parasitic," [3] autonomous, or variations upon all three. After almost thirty years of the dominance of process-oriented drawing as a kind of marker of the progressive and the modern, the past ten years have seen a resurgence in the work of younger artists of more illustrative, narrative, finished drawings, what the French in the time of Watteau called *"les dessins les plus achevés."*

Los Carpinteros' drawings can be divided in to three basic types all of which more or less fall in to the category of *"dessins plus achevés."* The first type often depicts objects arranged in some form of imagined space. Compositions unto themselves, they might allude to motifs later used in sculptural works, but as compositions they are closer to narratives than to representations of objects, or groups of objects arranged as possible installations. The second type can be called "working drawings" for sculptures, although many motifs are clearly more visionary than buildable. Still, these drawings depict objects

El dibujo juega un papel importante en la obra de Los Carpinteros, y estos artistas lo usan con sorprendente variedad. El término dibujo, otrora utilizado exclusivamente para describir el trabajo a trazos en blanco y negro, hoy incluye una amplia gama de medios, como la acuarela, el *gouache* y el creyón, y también todo lo que implica dejar impresiones o huellas, ya sea huellas al caminar, o mediante una función mecánica como la de una palanca automática, o el tipo de impresión que se va dejando manualmente con la guía o el control de un ordenador. También puede dividirse el dibujo en calidad de su "propósito contextual". Un dibujo puede ser un ejercicio de preparación para otra cosa, como también en sí una obra terminada. Puede ser la expresión de un gesto, la ilustración de una idea, o la observación minuciosa de un objeto natural, sujeto quizas a ciertas convenciones de la representación tri-dimensional, como sucede con el dibujo arquitectónico. Puede llamársele dibujo a una anotación, o al "registro material de un proceso conceptual",[1] materializando así, paradójicamente, hasta el quehacer artístico más desmaterializado.

Si bien se ha dicho que dibujar es "una actividad abierta e interminable, en última instancia incalificable en términos estéticos",[2] cada tipo de dibujo lleva implícita una historia específica; y si bien el dibujo en sí parece haber existido desde siempre, la manera en que los artistas lo han empleado, y los espectadores lo han captado varía según las visicitudes de la época y de los gustos. Según la época, se ha calificado el dibujo de "germinal" o de "parasitario",[3] autónomo, o una variación de estas tres categorías. Luego de casi treinta años en que lo que predominó como pauta de lo progresista y de lo moderno fue el dibujo como proceso, ha resurgido en los últimos diez años con el trabajo de artistas más jóvenes un tipo de dibujo más terminado, más ilustrativo y narrativo, lo que los franceses de la época de Watteau llamaban *"le dessins les plus achevés"*.

Los dibujos de Los Carpinteros pueden dividirse en tres tipos básicos que encajan más o menos en la categoría de *"dessins plus achevés"*. El primer tipo de dibujo representa usualmente objetos colocados en una especie de espacio imaginado. Estos dibujos son propiamente composiciones, pero también pueden aludir a temas que los artistas utilizarán después en sus esculturas. Como composiciones se acercan

often drafted to scale with indications of the most specific details of construction including colors and materials. The third type are wall drawings. In the past these drawings have resembled large scale two-dimensional backdrops or floor plans in which three-dimensional elements are placed.

Recent examples of the first type include a series of gouaches in which groups of objects float in the atmosphere. *Mundo de faros transparentes* (World of Transparent Lighthouses) is a sheet crowded with hovering lighthouses, rendered in transparent wash that makes them look like they were lit from inside. The lighthouse is a motif that Los Carpinteros have rendered in sculptural form as well, but those in the drawing are the opposite of solidity, and for that matter, the inverse of the stolid "thereness" that the notion of the lighthouse represents. Attached to nothing, certainly not to ground, these ghostlike objects float like balloons, their function as directionals inverted; rather than leading us somewhere, these lighthouses are meant to lead us away. *Luces de 100w* (100 Watt Lights) is another *tour de force* manipulation of gouache that in this case depicts a flock of electric light bulbs, not floating but flying. Less an accumulation than a rain, or better yet, an infestation, light bulbs like locusts swarm the field of vision; detached from power sources they are nonetheless alive with an energy that may be fairly described (with a wink) as electric. Bulbs clear and clouded one on top of another, and even three piled in space, describe transparency with an almost photo-realistic precision, but the addition of a telltale drip informs us that virtuosity is not the ultimate point of the exercise. A comparison of the liquidity of light, water, and air, is. *Agua* (Water), a drawing that can be considered the third in the triad, features clear plastic water jugs of the kind that fit inverted into a water cooler. Ranged like the lighthouses, aloft like dirigibles, they exude a bluish glow that is the essence of the elision of light, air and water.

These three drawings transform objects by multiplying them, and then removing them from their functional context. The striped traffic cones of *Conos rojos* (Red Cones) sit on a ground, but this attempt at realism is interrupted with drips of red gouache. Unlike the drips found on *Luces de 100w* that disturb the drawing's precision rendering, these drips, falling off the dagger-like forms of the cones, further an allusion – that is, of the cones to knives and to bloody violence. While this drawing clearly cannot be interpreted as specifically preparatory for a sculptural installation, because a kind of real space has been delineated, it straddles a line between pure idea works and those that propose a three-dimensional project that could be realized. *Jugando con el límite* (Playing with the Limit) is an example of the latter. It also features red striped traffic cones but in concert with several sizes of

más a la narrativa que a la representación de objetos o grupos de objetos colocados de antemano como posibles instalaciones. El segundo tipo de dibujo puede denominarse "dibujo como trabajo" de esculturas, aunque en muchas ocasiones los temas son de índole inequívocamente visionaria ni remotamente fabricables. No obstante, estos dibujos representan objetos bosquejados a escala con las más minuciosas indicaciones para su construcción, incluyendo materiales y colores. El tercer tipo de dibujo es el que ejecutan sobre una pared. En el pasado, estos dibujos se asemejaban a telones bi-dimensionales inmensos, o a planos en los que se han colocado elementos tri-dimensionales.

Ejemplo reciente del primer tipo de dibujo es la serie de *gouaches* en las que grupos de objetos flotan en la atmósfera. *Mundo de faros transparentes* es una hoja abarrotada de faros suspendidos, ejecutada en un *wash* transparente que crea el efecto de iluminación interior de los mismos. El faro es un motivo que Los Carpinteros han empleado también en la escultura, pero los faros de los dibujos son lo opuesto de la solidez, es más, también son lo inverso de la impasible ubicuidad que se asocia con la noción de un faro. Sin ningún tipo de afianciamiento, ni siquiera a tierra firme, estos objetos fantasmales flotan como globos, su función orientadora totalmente invertida. En vez de orientar al observador hacia un punto seguro, el propósito de estos faros es, precisamente, desorientar, alejar. *Luces de 100w* es otro *tour de force* que manipula magistralmente el medio del *gouache*; en esta obra se representa una bandada de bombillos eléctricos que en vez de flotar, están volando. Más tumulto que lluvia, o mejor aún, más que un tumulto, una plaga, el enjambre de bombillos, como langosta invasora, se apropia del campo visual. Desprovistos de fuente energética, los bombillos dan la impresión de que parpadean con un brillo que bien pudiera ser eléctrico. Hay focos cristalinos y otros nublados, unos encima de otros en dos y hasta tres capas, suspendidos en el espacio al tiempo que describen la transparencia con precisión casi foto-realista; no obstante, su terminado muestra elementos que se han chorreado, lo que nos dice que, en última instancia, el objetivo de la obra no es su ejecución magistral. Su objetivo, por el contrario, es la comparación entre la liquidez de la luz, del agua y del aire. *Agua*, el tercer dibujo de esta tríada, contiene recipientes de agua plásticos y transparentes, de los que se instalan en los bebederos y filtros modernos. Ordenados, como los faros, flotantes como si fuesen dirigibles, de ellos emana un brillo azulado que es la esencia misma de la elisión de la luz, el aire y el agua.

Estos tres dibujos transforman los objetos al multiplicarlos y al privarles de su contexto funcional. Los conos de tráfico con franjas en la obra *Conos rojos* descansan sobre un terreno, pero la intención realista

police barricades, all of which are arranged as a kind of absurd obstacle course in which each cone or barricade blocks access to another. Carefully arranged and embedded on the page exactly where it should be in space – comfortably occupying foreground, middle ground and background – the composition reads as a rendering of sculpture perfectly reproducible in the real, three-dimensional world.

There is a peculiarity evident in a number of Los Carpinteros' working drawings that sets them apart, however subtly, from more conventional drawings for executable sculptures. With its great detail, pinpoint scale, and accurate draftsmanship, a drawing like *Jugando con el límite* seems distinctly like a view of an object that already exists, albeit on paper. The sculpture is not in process, it is already made and has been observed in full; in fact one might argue, the drawing obviates the necessity of realizing the sculptural installation altogether. A similar effect is evident in the startling *Piscina (Proyecto de arte publico)* [Pool (Public Art Project)], a gouache rendering of an in-ground swimming pool in the shape of a submachine gun. Other artists, notably Teresita Fernández (a Miami-born sculptor of Cuban extraction), have used the deliciously cool lines of a filled swimming pool to the most elegant of minimalist ends, but Los Carpinteros grab for its symbolism of wealth, power and luxury that comes at a price. A jokey take on the notion of the water pistol, this brightly colored work is almost cartoon-like; yet, *Piscina* includes scale measurements and even a small sketch of an elevation. One could, these details suggest, execute this work in three dimensions. But one wouldn't because it isn't necessary. Everything is there in the drawing.

The metaphorical potential of the swimming pool returns in *Piscina llena* (Filled Pool) in which the pool is in the shape of a gaping blue maw with a lolling tongue, its lip rimmed by white ladders resembling teeth, and in *Piscina-Toalla I* (Pool-Towel I) in which the pool is embedded in a beach towel which also forms its surrounding deck. Still another, entitled *Cascada* (Waterfall), features a metallic washtub bent to an organic shape that looks like a water droplet, with the front end bent at 90 degrees to create the effect of a waterfall should the tub be filled with water. It is notable that the drawing does not depict it in use – the tub is empty. In the drawing itself though, the liquid unevenness of the tub punningly mimics flowing water. It is an effect that works wonderfully well in the drawing – but probably not in three dimensions.

Los Carpinteros have referred to drawings like this as not precisely preparatory, and in fact, this group exists on a loose continuum between theoretically and actually buildable. If the cone, barricade and swimming pool drawings seem to exist most

se interrumpe mediante chorreadas de *gouache* rojo. En nada parecido al *gouache* chorreado en *Luces de 100w,* este goteo que chorrea la semblanza puñalesca de los conos, encauzan al espectador hacia una asociación: la de los conos con puñales, con una violencia sangrienta. Aunque este dibujo no puede interpretarse como especificamente preparatoria de una instalación tri-dimensional (pues en él se ha delineado una especie de espacio real), el dibujo sí se debate entre lo que es obra puramente de ideas, y obra que propone proyectos tri-dimensionales que tal vez pudieran realizarse. La obra *Jugando con el límite* ejemplifica esto último. Al igual que *Luces...,* ésta también contiene conos rojos de tráfico con franjas, interpuestos entre barreras policíacas de varios tamaños. Todos estos elementos se han colocado en una especie de campo y pista absurdo en que cada cono o barrera le cierra el paso al cono o barrera que le sigue. Esta composición se distingue por la esmerada colocación y ordenamiento en la hoja de cada elemento en su espacio exacto – comodamente ocupando primer plano, centro y fondo – y puede leerse como un boceto de escultura perfectamente implementable en la realidad tri-dimensional.

Hay una peculiaridad evidente en varios de los dibujos como trabajo de Los Carpinteros que hace que se destaquen, aunque sutilmente, de los dibujos convencionales hechos para esculturas ejecutables. Con sus amplios detalles, escala exacta, y pefecta ejecutoria, un dibujo como *Jugando con el límite...* parecería representar una vista de un objeto que ya existe, aunque sea sólo en papel. Es como si la escultura no estuviera en proceso de ser fabricada, sino que ya está terminada, y se le ha observado en su totalidad; es más, cabe decir que el dibujo obvia la necesidad de ejecutar la instalación. *Piscina (Proyecto de arte público),* boceto en *gouache* de una piscina con forma de ametralladora, refleja ese mismo efecto. Otros artistas, notablemente Teresita Fernández (escultora de descendencia cubana, nacida en Miami), han utilizado las exquisitas y serenas líneas de una piscina llena de agua para llegar a los más elegantes cometidos minimalistas, pero Los Carpinteros las emplean como símbolo de riqueza, lujo y poder que tienen su precio. Empleando la chistosa alegoría de la pistola de agua, esta colorida obra recuerda los muñequitos; sin embargo, *Piscina...* incluye medidas a escala natural, y hasta un boceto pequeño de la elevación. Tanto detalle nos sugiere que de querer, se puede ejecutar esta obra en tres dimensiones. El caso es que no hay necesidad de hacerlo. Todo está ya terminado en el dibujo.

El potencial metafórico de la piscina reaparece en *Piscina llena.* En esta piscina, la forma es de un "blue maw" con cara de asombro y con la lengua afuera, rodeado su labio por blancas escaleras que parecen dientes; y también en *Piscina-Toalla I,* en que la piscina está

convincingly in two, rather than three dimensions, Los Carpinteros' series of fountain and furniture projects do not have the almost ineffable quality of the already there. In their emphasis on the structure, and in their scale more fitting for a portable object, and in the manner in which they sit on an otherwise empty page, they resemble more conventional working drawings for sculptures. Examples of this kind of work, some of which date two to three years earlier than the more elaborate, more visionary gouaches, include a series of three drawings entitled *Fuego* (Fire), *Agua* (Water) and *Aire* (Air), each of which depict a human-shaped fountain fashioned from plumbing pipes from which fire, water, and air spurt as if from uncauterized veins. Later examples include *Cama* (Bed), a drawing detailing a white sheeted bed and pillows made from metal and coated with enamel to *trompe l'oeil* effect, and *White Room,* a kind of installation view of a heap of white cushions made in the same fashion.

The third kind of drawing produced by Los Carpinteros are those that are executed *in situ* on a wall. Executed in outline, they are the most architectural of all of the artists' drawings as they resemble elevation sketches. The product of a period in their work that began in the mid nineteen-nineties, the execution of wall drawings has become increasingly rare for the group. By their very nature, the wall drawings are the most detached from the artists' three-dimensional work. As I have observed elsewhere, the wall drawings occupy a place between Los Carpinteros' free-standing objects and their works on paper in that they are actually a hybridization of their sculptural projects and their works on paper.

*Café*, a work first exhibited in 1996, incorporated three-dimensional objects in front of an elaborately delineated backdrop that included a life-sized male figure in outline within a façade line drawn as an elevation, and embellished by three-dimensional items like a pile of bricks, a rope and a wheelbarrow. As they would continue to do in their drawings on paper, Los Carpinteros included proportional measurements for all structural elements of the wall drawing – even the figure. What at first might seem an absurd addition, particularly for an ephemeral drawing for something clearly not meant to be constructed, it is an important connection to both the working drawings and the visionary ones. However distinct, there are clear connections among most all of Los Carpinteros' drawings and these link them to the group's wider production of sculptures and sculptural installations. Like their three-dimensional works, the objects depicted in their drawings resemble quotidian objects with recognizable structures. If this might, as some have noted, lead to a confusion between "art and fact," [4] it is purely superficial because these pictures of things differ

empotrada en la toalla de playa, que funge de plataforma alrededor de la misma. Otra obra, titulada *Cascada*, presenta una palangana metálica con forma orgánica que se asemeja a una gota de agua, y cuya parte delantera está doblada en un ángulo de 90 grados para crear el efecto de cascada en caso de que la palangana se llene de agua. Cabe resaltar que la palangana del dibujo no está en uso: es más, está vacía. Este es un efecto que fragua maravillosamente en el dibujo, pero no así, probablemente, en tres dimensiones.

Según Los Carpinteros, dibujos como estos no son exactamente dibujos preparativos. Es más, este grupo se debate entre lo meramente teórico y lo realmente fabricable. Si los dibujos de los conos, las barreras y las piscinas parecen proyectarse con mayor convicción en dos dimensiones que en tres, las series de Los Carpinteros que incluyen proyectos con fuentes y muebles no poseen la casi inefable característica de lo "ya presente". Porque, al enfatizar la estructura, y porque su escala se presta mejor a la realización de un objeto portátil, y además por la manera específica en que esas estructuras se colocan en una hoja, digamos, vacía, estos dibujos se asemejan más a los dibujos bocetos convencionales que se preparan para esculturas. Entre las obras de este tipo, algunas de las cuales son de entre dos y tres años antes que los *gouaches* más elaborados y más visionarios, se encuentra la serie de tres dibujos, que se titulan *Fuego, Agua* y *Aire*. Cada uno de ellos presenta una fuente antropomórfica confeccionada con tuberías de plomería, de las que brota fuego, agua y aire como si la fuente se desangrara por las venas. Ejemplos más recientes incluyen *Cama*, dibujo que contiene una cama cubierta con sábanas y almohadas de metal con efectos de *trompe l'oeil* en esmalte; y *White Room* (Habitación blanca), una semblanza de instalación con montones de cojines blancos pintados igual a los de *Cama*...

El tercer tipo de dibujo que producen Los Carpinteros es el que se realiza directamente en la pared. Se ejecutan a la manera de un bosquejo, y son los más arquitectónicos de los dibujos de estos artistas, ya que parecen bosquejos de elevación. Producto de un período de trabajo que comenzó a mediados de los noventa, la ejecutoria sobre pared es cada vez menos frecuente en estos artistas. Dada su propia naturaleza, los dibujos de pared son los más impersonales de todo el trabajo tri-dimensional que realizan Los Carpinteros. Como he dicho antes, los dibujos de pared se ubican entre los objetos colocados y las obras en papel. Son, en realidad, un híbrido entre los proyectos de escultura y sus trabajos en papel.

*Café*, obra que se exhibió por primera vez en 1996, incorporaba objetos tri-dimensionales colocados frente a un telón delineado elaboradamente y que incluía el contorno de una figura masculina a

from the things themselves in a crucial way. Like a famous parable by Jorge Luis Borges in which the author attempts to replicate *Don Quixote de la Mancha* but finds that even the most accurate copy is, in the end, entirely different from the original, Los Carpinteros' drawings provide everything to a detail needed to reproduce the object, but what is drawn so carefully turns out not to be the thing at all, but something completely different.

Los Carpinteros' version of a traffic barrier or a stack of boxes, a fountain or a swimming pool derive their meaning, or more accurately their narratives, not by how they look, but primarily through how they are made. No matter how recognizable the object, this emphasis on the structure of things conjures associations between what the subject looks like and what it could be – lightbulb-bird, pool-gun, etc.: in other words, it creates metaphor.[5] If there is an element of fantasy bordering on a kind of Surrealism evident in their humorous transformations and visual puns, it is a Surrealism in a waking, rather than dream world, more akin to Picasso than Dalí. There is something of Duchamp as well in their trickery, but as Alexander Arrechea has declared, "We love Marcel Duchamp. But Marcel Duchamp doesn't love us."[6] And how could he? Duchamp was an enemy of metaphor – from perspective onward – and Los Carpinteros' work unquestionably relies on it. It is inconceivable, for example, that Duchamp would present a bottle rack altered so that it might allude to something beyond its dual identities as object and art; it is equally inconceivable that Los Carpinteros would present a bottle rack, or for that matter, a drawing of it, without that allusive alteration.

This re-introduction of the metaphorical takes on a certain significance at this moment in international contemporary art, a moment when the hegemony of doctrinaire Duchampian anti-visuality is slowly giving way to a softer Duchampian-inflected appreciation for the quotidian object itself and the poetry it might inspire. If, as argued earlier, Los Carpinteros' drawings do not depict objects in the world, but rather objects that have some connection to things recognizable, but are not those things, their drawings, so carefully illusionistic, so impeccably realized in every detail and proportion, also present themselves as autonomous, allusive, but detached from exact reference.

Just as the subject of each drawing creates associative metaphors that elucidate and embroider upon its meaning, it is possible to see drawing itself, in Los Carpinteros' practice, as a metaphor for their entire artistic enterprise. As the name of the group so graphically demonstrates, Los Carpinteros take much of their inspiration from the notion of work in its most material sense – that is, from the tradition of the trades and from the notion of master craftsmanship.

escala natural dentro de una fachada linear dibujada como elevación, y adornado con artículos tri-dimensionales como una hilera de ladrillos, una soga, y una carretilla. Según continuarían haciendo en su trabajo sobre papel, Los Carpinteros incluyeron las medidas – en proporción – de todos los elementos estructurales en el dibujo de pared, incluyendo la figura masculina. Aunque en un principio pudiera parecer una añadidura absurda, teniendo en cuenta lo efímero de un dibujo de algo cuya construcción claramente no se contempla, ello representa una conexión importante tanto a los dibujos como trabajo como a los dibujos visionarios. No importa cuan diferentes sean, hay conexiones inconfundibles entre casi todos los dibujos de Los Carpinteros, que fungen como enlace a las producciones de escultura y de instalaciones que realizan estos artistas. Al igual que su obra tri-dimensional, los objetos colocados en sus dibujos parecen objetos cotidianos cuyas estructuras se reconocen. Si, como algunos han señalado, esto conduce a una confusión entre "arte y realidad",[4] dicha confusión es superficial porque hay una diferencia importantísima entre el dibujo de un objeto y el objeto real. Como aquella famosa parábola de Jorge Luis Borges en que el autor trata de hacer una réplica de *Don Quijote de la Mancha*, sólo para darse cuenta de que aun la copia más fidedigna es completamente distinta al original, los dibujos de Los Carpinteros brindan hasta el más minucioso dato para reproducir el objeto, pero lo dibujado con tanta perfección termina no siendo el objeto, sino algo completamente diferente.

La versión de una barrera de tráfico, de un apilamiento de cajas, de una fuente o de una piscina, que brindan Los Carpinteros adquiere su significado, o mejor dicho, sus respectivas narrativas, no por su apariencia, sino principalmente por la manera en que son creadas. No importa cuan reconocible sea el objeto, este énfasis en la estructura de las cosas evoca asociaciones entre cómo luce el objeto y lo que el objeto puede ser – bombillo-pájaro, piscina-pistola, etcétera: en otras palabras, se crean metáforas.[5] Si es verdad que hay un elemento de fantasía que raya en una especie de surrealismo evidente en las humorísticas transformaciones y equívocos visuales, dicho surrealismo está despierto, no está inmerso en un ensueño: tira más para Picasso que para Dalí. En sus bromas hay algo también de Duchamp, pero como ha dicho Alexandre Arrechea: "Nosotros adoramos a Marcel Duchamp, pero Marcel Duchamp no nos quiere a nosotros".[6] ¿Y cómo podría Duchamp querer a Los Carpinteros? Duchamp era enemigo de la metáfora – a partir de la perspectiva – y el trabajo de Los Carpinteros se apoya indiscutiblemente en ella. Es inconcebible, por ejemplo, que Duchamp alterara un porta-botellas para aludir otra cosa más allá de su doble identidad como objeto y como arte. Igualmente, es inconcebible

Their "working drawings" are the graphic embodiment of the notion of the making of an art object, a kind of drawing as work. Those drawings that are unrelated to realizable projects—what Yves Alain Bois has called "projective drawing" [7] – cannot help but relate to the artistic concept – the pure idea. Most poignantly perhaps, all of Los Carpinteros' drawings are metaphors for the communication among the three artists and for collaboration, not towards specific ends but for its own sake. "Drawings are the letters we write each other," Marco Castillo has said.[8] It is indeed a rich and allusive correspondence.

que Los Carpinteros presenten un porta-botellas, incluso un dibujo de un porta-botellas, sin esa alteración alusiva.

En estos momentos, la re-inserción de lo metafórico cobra cierto significado para el arte contemporáneo internacional, en una etapa en que la hegemonía de la anti-visualidad doctrinaria de Duchamp está perdiendo terreno ante una apreciación más suave y de inflexión Duchampiana del objeto cotidiano y de la poesía que éste pudiera inspirar. Si, como se dijo anteriormente, los dibujos de Los Carpinteros no representan los objetos en el mundo sino más bien objetos que tienen alguna conexión con cosas reconocibles, pero a su vez, no son esas cosas, entonces sus dibujos, tan cuidadosamente ilusionistas, tan impecables en detalle y proporción, también se presentan como autónomos, alusivos, pero desprendidos de toda referencia exacta.

De la misma manera en que el sujeto de cada dibujo crea metáforas por asociación que elucidan y elaboran su significado, es posible ver el dibujo en sí – el que ejecutan Los Carpinteros – como metáfora de toda una empresa artística. Como demuestra gráficamente el nombre del grupo, Los Carpinteros sacan gran parte de su inspiración del sentido más físico y material del trabajo, o sea, de la tradición de los oficios y la noción de excelencia artesanal. Sus "dibujos como trabajo" personifican gráficamente la noción de lo que es hacer un objeto de arte, una especie de dibujo como trabajo. Aquellos dibujos que nada tienen que ver con proyectos ejecutables – lo que Yves Alan Bois llama "dibujo proyectador" [7] – no pueden evitar su relación directa al concepto artístico, o sea, a la idea pura. Quizás lo más conmovedor sea que los dibujos de Los Carpinteros son metáforas para la comunicación entre los tres artistas y para la colaboración, sin que se persiga un objetivo en particular, sino en virtud de la colaboración misma. "Los dibujos son cartas que nos escribimos unos a otros", ha dicho alguna vez Marco Castillo.[8] Es, indudablemente, un epistolario alusivo y prodigioso.

(Footnotes)

1    Pamela M. Lee, "Some Kinds of Duration: The Temporality of Drawing as Process Art," in Cornelia H. Butler, *Afterimage: Drawing through Process*, exh. cat. (Los Angeles: Museum of Contemporary Art, and Cambridge, Mass.: The MIT Press, 1999), p. 41.

2    Benjamin Buchloh "Raymond Pettibon: Return to Disorder and Disfiguration" *October 92* (Spring, 2000), pp. 37-51, p. 44.

3    Lee, op. cit., p. 31.

4    Bili Bidjocka, "Los Carpinteros, Rivane Neuenschwandre" Márcia Fortes, *Frieze* (#42 September/October, 1998), p. 102.

5    Marco Castillo has explained that metaphor arises in the work from the dialog between the "confluence of subjects." See Rosa Lowinger, "The Object as Protagonist: An Interview with Alexander Arrechea, Marco Castillo, and Dagoberto Rodriguez," *Sculpture Magazine*, (December 1999), pp. 24-31.

6    Arrecha adds "He is dead-he can't." Trinie Dalton "An Interview with Los Carpinteros" *Bomb* (Winter, 2001-02), p. 64.

7    Yves Alain Bois "Matisse and Arche Drawing" in *Painting as Model* Cambridge, Mass.: The MIT Press, 1990. pp. 3–64, p. 3.

8    In Lowinger, op. cit.

(Notas y Citas)

1    Pamela M. Lee, "Some Kinds of Duration: The Temporality of Drawing as Process Art", en Cornelia H. Butler, *Afterimage: Drawing through Process*. Catálogo de la exhibición homónima. (Los Angeles: Museo de Arte Contemporáneo, y Cambridge, Massachusetts: The MIT Press, 1999), p. 41.

2    Benjamin Buchloh, "Raymond Pettibon: Return to Disorder and Disfiguration." *October 92* (Primavera, 2000), pp. 37-51, p. 44.

3    Lee, ob. cit., p. 31.

4    Bili Bidjocka, "Los Carpinteros, Rivane Neuenschwandre". Márcia Fortes, *Frieze* (#42 septiembre/octubre, 1998), p. 102.

5    Marco Castillo ha explicado que la metáfora surge en el trabajo del diálogo entre los "sujetos confluentes". Ver Rosa Lowinger, "The Object as Protagonist: An Interview with Alexander Arrechea, Marco Castillo, and Dagoberto Rodríguez," *Sculpture Magazine*, (Diciembre de 1999), pp. 24-31.

6    Añade Arrechea: *"Está muerto, ya no puede"*. Trinie Dalton, "An interview with Los Carpinteros". *Bomb* (Invierno, 2001-02), p. 64.

7    Yves Alan Bois, "Matisse and Arche Drawing". En *Painting as Model*. Cambridge, Mass.: The MIT Press, 1990, pp. 3-64, p. 3.

8    Citado en Lowinger, ob. cit.

# DRAWINGS

# DIBUJOS

*Mundo de faros transparentes / **World of Transparent Lighthouses**, 2001
Acuarela sobre papel / Watercolor on paper
74,93 x 105,41 cms / 29.5 x 41.5 in.
*Imagen cortesía de / Image courtesy of Anthony Grant, Inc.*

Los Carpinteros
2001

"Mundo de Faros Transparentes"

*Proyecto de bloques… / Block Project…*, 2001
Acuarela sobre papel / Watercolor on paper
130,81 x 188,595 cms / 51.5 x 74.25 in.
*Imagen cortesía de / Image courtesy of Anthony Grant, Inc.*

*Jugando con el límite / Pushing the Limit*, 2000
Acuarela sobre papel / Watercolor on paper
74,93 x 105,41 cms / 29.5 x 41.5 in.
*Imagen cortesía de / Image courtesy of Anthony Grant, Inc.*

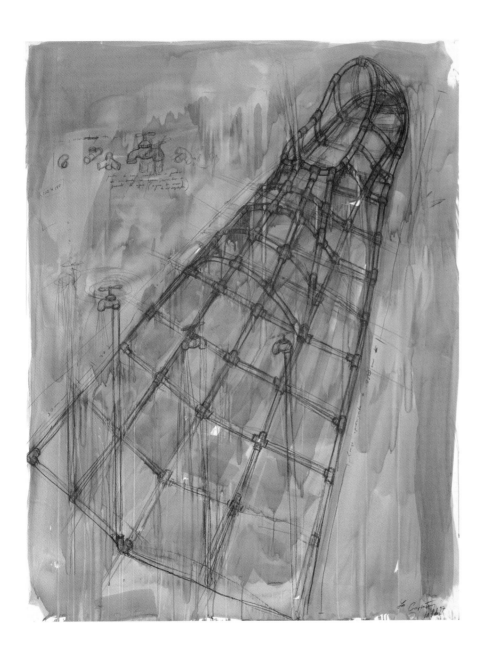

*Pata de rana, tuberías de agua / Flipper and Waterducts*, 1997
Lápiz, acuarela sobre papel / Pencil, watercolor on paper
202 x 150 cms / 79.53 x 59.06 in.
Colección / Collection: Larry Konner, Beverly Hills, CA
*Imagen cortesía del artista / Image courtesy of the artist*

*Biblioteca modelo / Model Library*, 1997
Tinta sobre papel / Ink on paper
75,5 x 106 cms / 29.72 x 41.73 in.
Colección privada / Private collection
*Imagen cortesía de / Image courtesy of Cristina Vives*

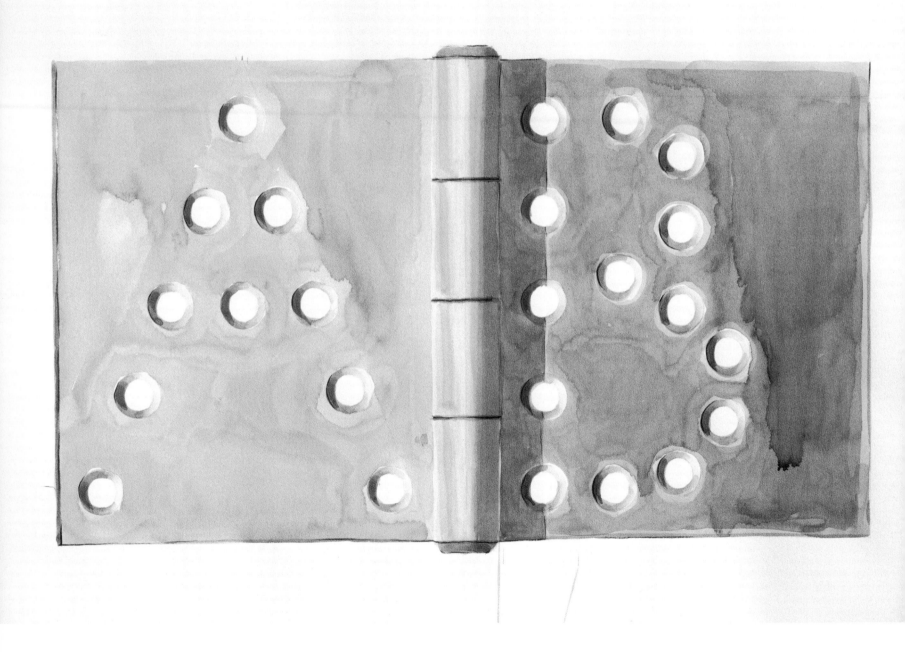

*Conos rojos / **Red Cones**, 2000*
Acuarela sobre papel / Watercolor on paper
73,66 x 104,14 cms / 29 x 41 in.
*Imagen cortesía de / Image courtesy of Anthony Grant, Inc.*

**Bisagra (A y B) / *Hinge (A and B)*, 2001**
Acuarela sobre papel / Watercolor on paper
74,93 x 105,41 cms / 29.5 x 41.5 in.
*Imagen cortesía de / Image courtesy of Anthony Grant, Inc.*

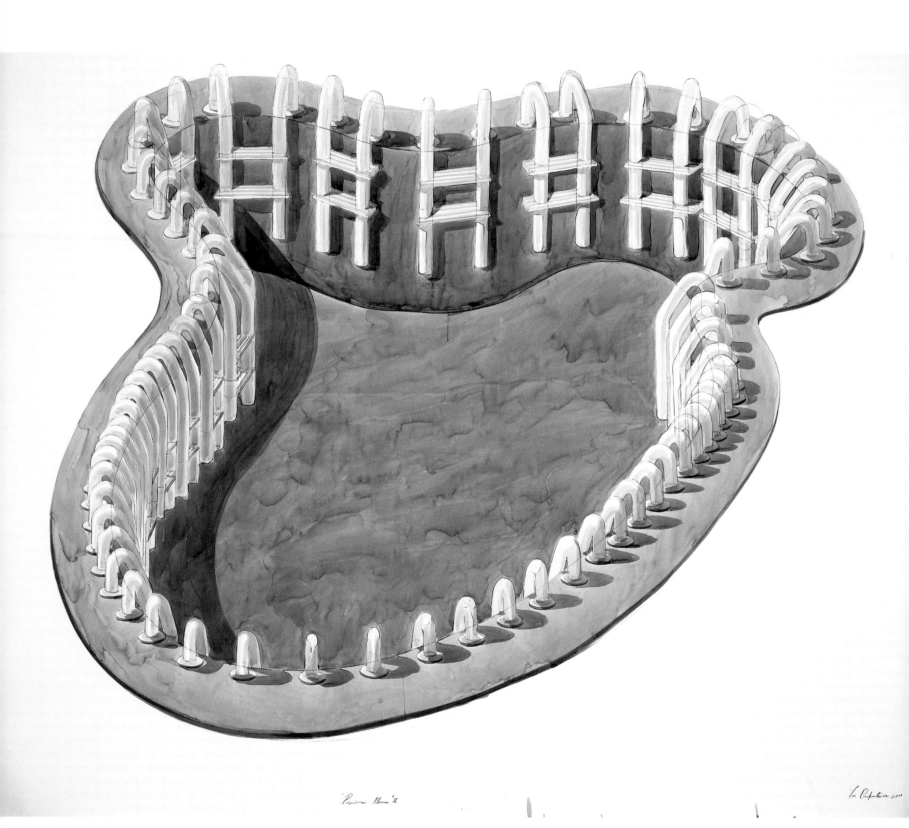

'Piscina Llena' II

*Trineo y vagón con carretera / **Sleigh and Wagon with Highway**,* 1998
Acuarela sobre papel, lápiz / Watercolor on paper, pencil
75,5 x 106 cms / 29.72 x 41.73 in.
Coleccion privada / Private collection
*Imagen cortesía del artista / Image courtesy of the artist*

**Piscina llena / Filled Pool,** 2001
Acuarela sobre papel / Watercolor on paper
205,74 x 259,08 cms / 81 x 102 in.
*Imagen cortesía de / Image courtesy of Anthony Grant, Inc.*

*Aire* / *Air,* 1998
Acuarela, lápiz acuarela sobre papel /
Watercolor, watercolor pencil on paper
113 x 76 cms / 44.49 x  29.92 in.
Colección privada / Private collection, USA
*Imagen cortesía del artista / Image courtesy of the artist*

*Fuego* / *Fire,* 1998
Acuarela, lápiz acuarela sobre papel /
Watercolor, watercolor pencil on paper
113 x 76 cms / 44.49 x  29.92 in.
Colección / Collection:  Silvia Alvarez, Coral Gables, FL
*Imagen cortesía del artista / Image courtesy of the artist*

*Agua* / *Water,* 1998
Acuarela, lápiz acuarela sobre papel /
Watercolor, watercolor pencil on paper
113 x 76 cms / 44.49 x  29.92 in.
Colección privada / Private collection, USA
*Imagen cortesía del artista / Image courtesy of the artist*

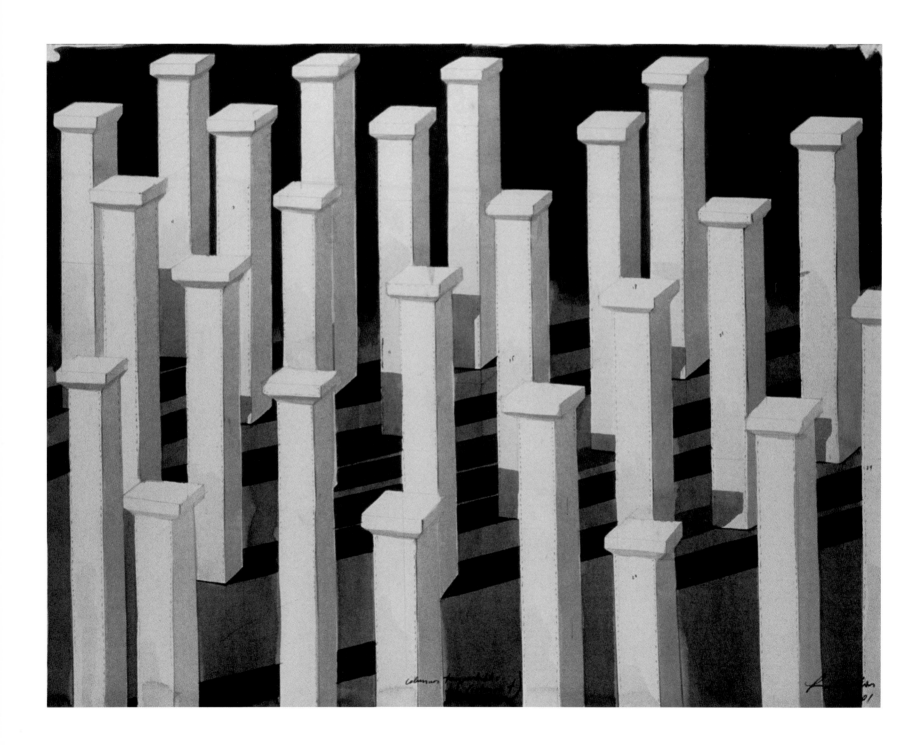

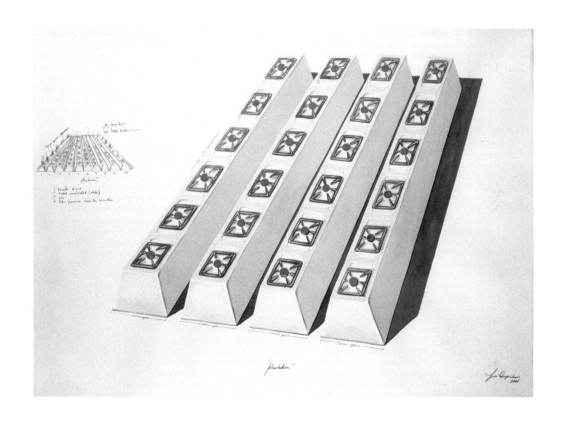

*Plantación / **Plantation**, 2001
Acuarela sobre papel / Watercolor on paper
74,93 x 105,41 cms / 29.5 x 41.5 in.
Imagen cortesía de / Image courtesy of Anthony Grant, Inc.*

**Columnas transportables** / **Transportable Columns**, 2001
Acuarela sobre papel / Watercolor on paper
74,93 x 105,41 cms / 29.5 x 41.5 in.
*Imagen cortesía de / Image courtesy of Anthony Grant, Inc.*

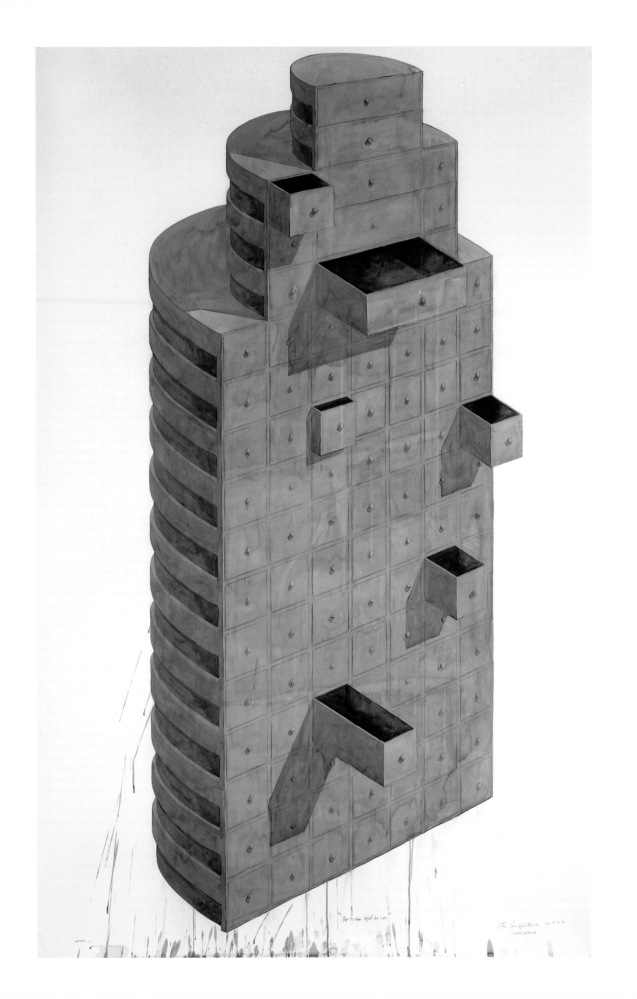

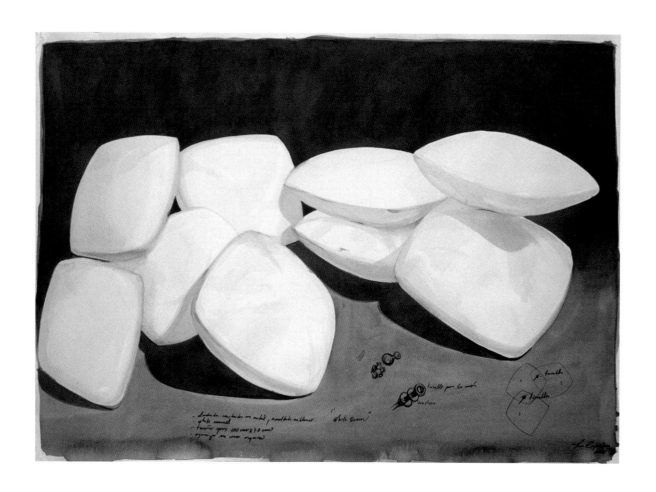

*Habitación blanca* / **White Room**, 2001
Acuarela sobre papel / Watercolor on paper
74,93 x 105,41 cms / 29.5 x 41.5 in.
*Imagen cortesía de* / *Image courtesy of Anthony Grant, Inc.*

**Someca**, 2002
Acuarela sobre papel / Watercolor on paper
238,76 x 152,4 / 94 x 60 in.
*Imagen cortesía de* / *Image courtesy of Anthony Grant, Inc.*

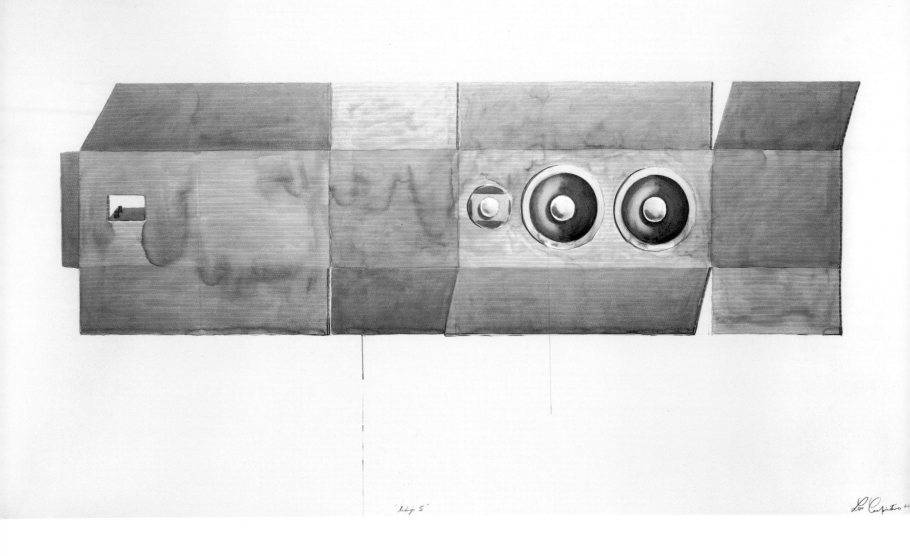

**Dibujo S / Drawing S**, 2001
Acuarela sobre papel / Watercolor on paper
128,27 x 228,6 cms / 50.5 x 90 in.
*Imagen cortesía de / Image courtesy of Anthony Grant, Inc.*

**Caja / Box**, 2001
Acuarela sobre papel / Watercolor on paper
205,74 x 259,08 cms / 81 x 102 in.
Colección / Collection: MOCA
*Imagen cortesía de / Image courtesy of Anthony Grant, Inc.*

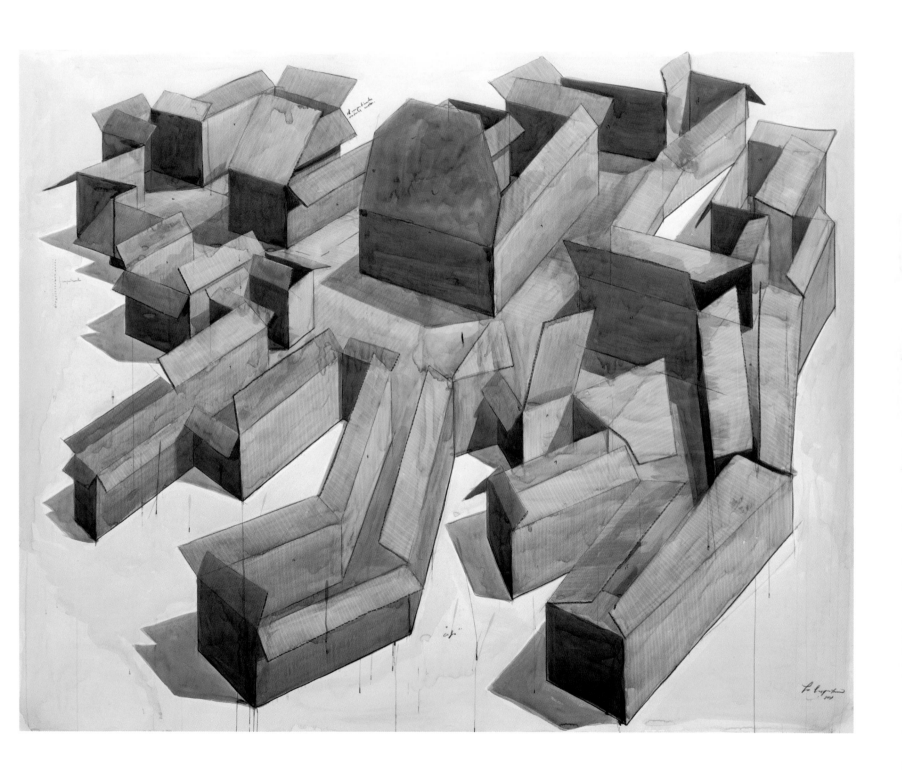

*Piscina - Toalla I* / *Pool - Towel I*, 2002
Acuarela sobre papel / Watercolor on paper
74,93 x 105,41 cms / 29.5 x 41.5 in.
*Imagen cortesía de* / *Image courtesy of Anthony Grant, Inc.*

*Agua* / *Water*, 2001
Acuarela sobre papel / Watercolor on paper
205,74 x 259,08 cms / 81 x 102 in.
*Imagen cortesía de* / *Image courtesy of Anthony Grant, Inc.*

tanque de agua

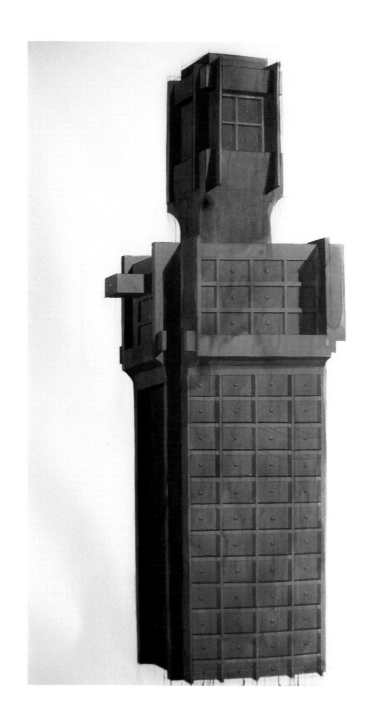

*Embajada Rusa / Russian Embassy*, 2002
Acuarela, lápiz acuarela sobre papel /
Watercolor, watercolor pencil on paper
238 x 153 cms / 93.7 x 60.2 in.
*Imagen cortesía del artista / Image courtesy of the artist*

*Tanque de agua / Water Tank*, 2002
Acuarela sobre papel / Watercolor on paper
101,6 x  66,68 cms / 40 x 26.25 in.
*Imagen cortesía de / Image courtesy of Anthony Grant, Inc.*

"Tennis"

Los Carpinteros 2000

***Dame algo* / *Just Give Me Something**, 2001
Acuarela sobre papel / Watercolor on paper
74,93 x 105,41 cms / 29.5 x 41.5 in.
*Imagen cortesía de / Image courtesy of Anthony Grant, Inc.*


***Ida y vuelta* / *Round Trip**, 2000
Acuarela sobre papel / Watercolor on paper
74,93 x 105,41 cms / 29.5 x 41.5 in.
*Imagen cortesía de / Image courtesy of Anthony Grant, Inc.*

***Tenis* / *Tennis**, 2000
Acuarela sobre papel / Watercolor on paper
74,93 x 105,41 cms / 29.5 x 41.5 in.
*Imagen cortesía de / Image courtesy of Anthony Grant, Inc.*

"cascada"

*Luces de 100w / 100 W Lights*, 2001
Acuarela sobre papel / Watercolor on paper
74,93 x 105,41 cms / 29.5 x 41.5 in.
*Imagen cortesía de / Image courtesy of Anthony Grant, Inc.*

*Cascada / Waterfall*, 2001
Acuarela sobre papel / Watercolor on paper
74,93 x 105,41 cms / 29.5 x 41.5 in.
*Imagen cortesía de / Image courtesy of Anthony Grant, Inc.*

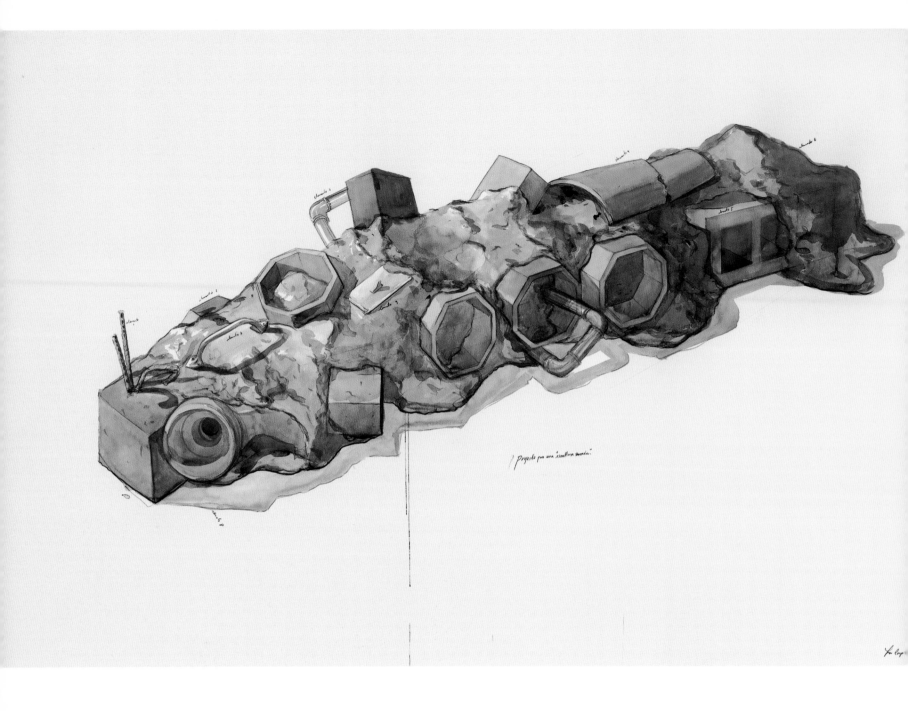

**Proyecto para una escultura… / Project for a Sculpture…**, 2002
Acuarela sobre papel / Watercolor on paper
130 x 200 cms / 51.18 x 78.74 in.
*Imagen cortesía de / Image courtesy of Anthony Grant, Inc.*

**Columna / Column**, 2002
Acuarela sobre papel / Watercolor on paper
190 x 130 cms / 74.8 x 51.18 in.
*Imagen cortesía de / Image courtesy of Anthony Grant, Inc.*

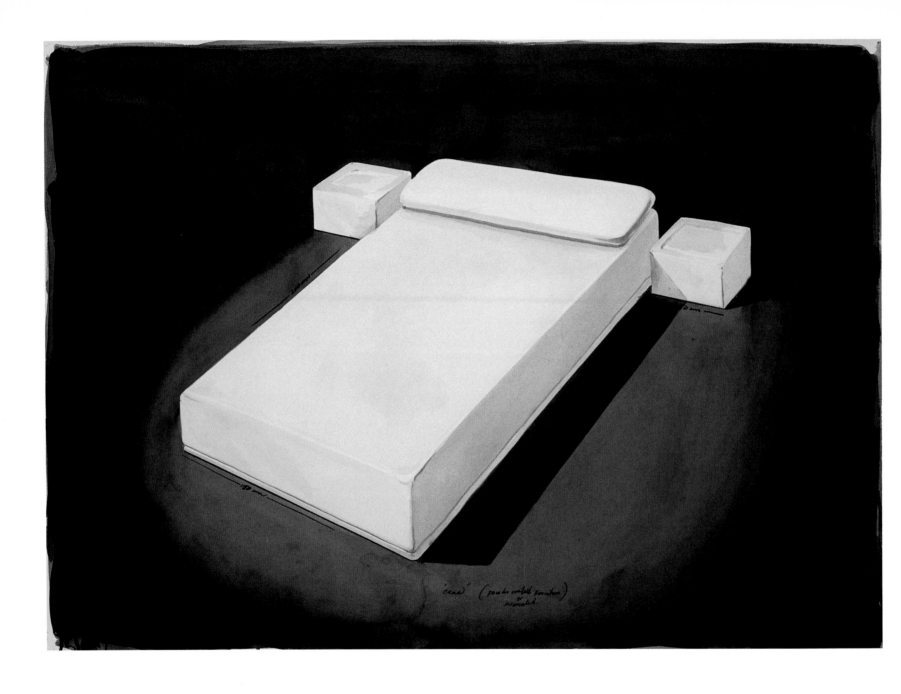

*Cama / Bed*, 2001
Acuarela sobre papel / Watercolor on paper
74,93 x 105,41 cms / 29.5 x 41.5 in.
*Imagen cortesía de / Image courtesy of Anthony Grant, Inc.*

*S/T*, 1998
Acuarela sobre papel / Watercolor on paper
201 x 153,5 cms / 79.1 x 60.4 in.
Colección / Collection: Daros, Zurich, Switzerland
*Imagen cortesía de / Image courtesy of Cristina Vives*

*Proyecto de acumulación de materiales  / Project of Accumulation of Materials,* 1999
Acuarela sobre papel, lápiz / Watercolor on paper, pencil
117,5 x 352,8 cms / 46.26 x 138.9 in.
Colección / Collection: MOMA, New York City
*Imagen cortesía de / Image courtesy of MOMA*

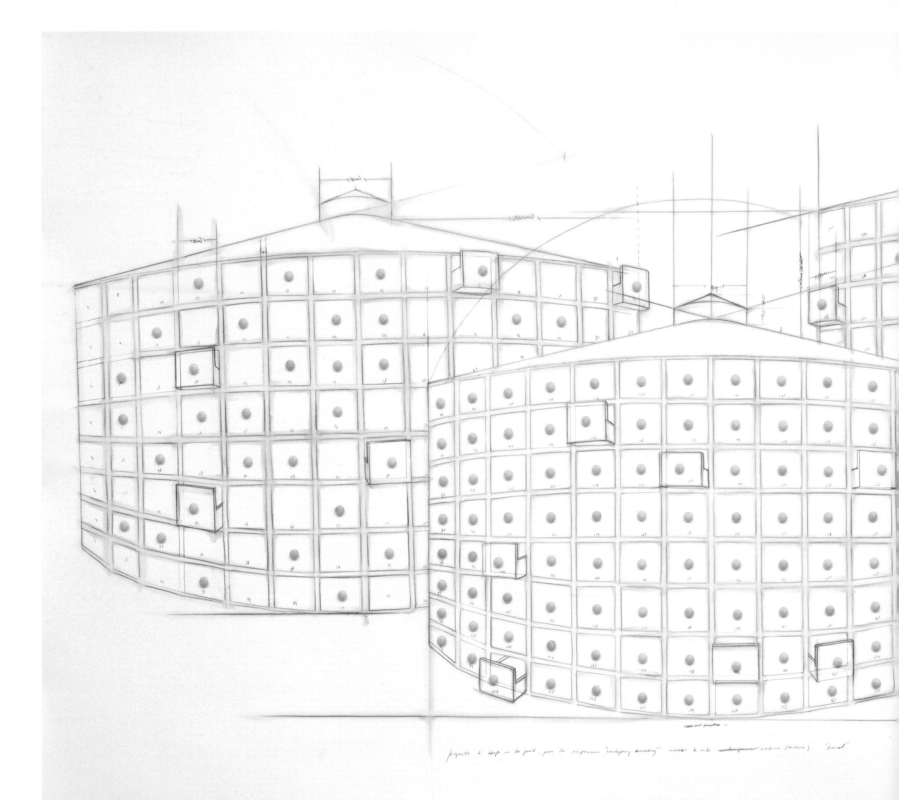

*Cárcel / Prison*, 2001
(dibujo preparatorio para *Presidio*) /
(preparatory drawing for *Presidio*)
Técnica mixta sobre papel /
Mixed media on paper
162,6 x 243,8 cms / 64 x 96 in.
*Imagen cortesía de / Image courtesy of MOMA*

**PLACELESS PLACE**

**LILIAN TONE**

**SITIO SIN SITIO**

Intense differences exist between urban centers and city topographies around the globe, particularly evident in the disparities between developing countries and advanced capitalist nations. While it is untenable to put forth a singular, universalizing image of the city, it is important to note the tensions between the desire to create generic codes and the imperative to acknowledge the idiosyncratic conditions of the local. How, on architectural and urban terms, is the location of the local articulated in an increasingly transcultural world? What if local architectural vernacular could be articulated as a universal design phenomenon, and the universal understood as a symptom of the local? These may not be entirely new questions, but they have taken on greater urgency as artists have begun to probe such issues in more sophisticated ways.

As part of his life-long examination of the linkages between space, knowledge and power, Michel Foucault developed the concept of 'heterotopias' ('other places'). In conjunction with utopias, heterotopias have the peculiar quality of relating to all places but "in such a way as to suspect, neutralize, or invert the set of relationships designed, reflected or mirrored by themselves." [1] Foucault called heterotopias those places whose location, paradoxically, lies outside of all places, and that function like "counter-arrangements, an effectively realized utopia, in which all the real arrangements... are at one and the same time represented, challenged, and overturned." [2]

If one is to inject philosophy or theory into the context of a meditation on art, it is tenable here to suggest a fortuitous (albeit inadvert) convergence between Foucault's notion of heterotopia and a particular work by Los Carpinteros. Some five years ago, Los Carpinteros began imagining a city without fixed geographical markers, and *Ciudad transportable* (Transportable City) was subsequently erected within – and against – the Havana urban landscape in late 2000. True to its vocation, this conceptually nomadic (and nomadically conceptual) work has since traveled to geographically diverse urban centers such as New York, Los Angeles, Honolulu, and Shanghai.

Spectacularly bordered by the Bahía de La Habana on one side, and the castle El Moro on the other, the first installation of *Ciudad transportable* was comprised of ten structures scattered across a lawn.

Los diversos centros urbanos y las topografías citadinas en el mundo muestran intensas diferencias entre sí, y ello se hace particularmente evidente cuando se compara la disparidad entre los países en vías del desarrollo y las naciones capitalistas más avanzadas. Si bien la propuesta de una imagen única y universalizadora de la ciudad es insostenible, es importante mencionar las tensiones que surgen entre el deseo de crear códigos genéricos y el imperativo de reconocer las condiciones idiosincráticas del ámbito local. Entonces, ¿cómo, en términos arquitectónicos y urbanos, se articula la ubicación de lo local en un mundo cada vez más transculturalizado? ¿Qué pasaría si articuláramos lo vernáculo arquitectónico local cual fenómeno universal de diseño, y entendiéramos lo universal como sintomático de lo local? Estas interrogantes no son del todo nuevas, pero han ido cobrando mayor urgencia al tiempo que los artistas plásticos han comenzado a explorar estos temas de forma cada vez más sofisticada.

Michel Foucault desarrolló el concepto de heterotopías ("otros lugares") en su eterna búsqueda de la relación entre espacio, conocimiento y poder. Junto a las utopías, las heterotopías poseen la extraña característica de poder relacionarse a todos los lugares, aunque "de manera tal que se cree sospecha, se neutralice o se invierta el conjunto de relaciones que ellas mismas diseñan o reflejan." [1] Foucault les llamó heterotopías a aquellos lugares que se ubican, paradójicamente, fuera de los confines de todos los lugares y que fungen como "contra-disposiciones, una utopía lograda con efectividad, en la que todas las disposiciones reales... son simultáneamente representadas, retadas y derrocadas." [2]

Si le inyectamos un poco de filosofía o teoría al contexto de una meditación en torno al arte, es posible sugerir una convergencia fortuita, si bien inadvertida, entre la noción foucaultiana de heterotopía, y una obra en particular de Los Carpinteros. Hace unos cinco años, Los Carpinteros comenzaron a imaginar una ciudad sin linderos geográficos específicos. Hacia fines del año 2000, Los Carpinteros erigieron dentro del paisaje urbano de La Habana – y con ese paisaje como fondo – su *Ciudad transportable*. Fiel a su vocación, esta obra conceptualmente nómada, y (nómadamente conceptual) ha viajado a

The formal construction of the structures indexed the artists' professed longtime fascination with the formal codes of camping tent technology. Manufactured in khaki synthetic fabric and aluminum tubing (with zippers allowing access to the interior and with transparent plastic as windows), every aspect of the tents' design facilitated an effortless set up, dismantling, and re-packing. The design of each tent-like structure referenced a specific source culled from a typology of actual buildings; this iconography corresponded to, and distilled into a quasi-universal form, those real-world edifices that reflected the artists' idea of what is an essential institutional framework for a modern urban society.

"*Ciudad transportable* is about the basic minimum that a person or a society needs to function. We wanted to create the basic cell of what a city could be." [3]

Los Carpinteros' overall practice is marked by an ongoing series of parallel works, of which *Ciudad transportable* is of central operational importance. Other projects such as *Torres de cristal,* 2002 (Glass Towers), *Downtown,* 2003[4], *Columnas transportables,* 2001 (Transportable Columns), *Presidio,* 2003 (Prison), *FOCSA,* 2002 and *Piscina llena,* 2001 (Filled Pool) are distinctly related to it. *Ciudad transportable,* however, expands upon and consolidates the group's preoccupation with the signifying possibilities of a representational language that is transmitted and understood, ironically, through the codes of an abstracted architectural lexicon.

"Our work studies quotidian objects and their functions. Many of our pieces derive from the alteration or the exaggeration of the use of a piece of furniture or another element that we habitually use. We have discovered that, hidden in the functionality of things that man fabricates, lie many fissures that betray his thoughts and conduct." [5]

At once fascinated by, and skeptical of, the normative institutional workings of architecture and design, in *Ciudad transportable* Los Carpinteros both adopt and deny the Beaux-Arts vocation of the building types that they symbolically re-represent. As tents, their appearance no longer announces a definitive real-world functionality, although it fulfills the function of providing, to the viewer, an immediately readable architectonic text. In contrast to the aesthetics of precariousness inherent to the idea of producing a work of art in the form of (or as) a tent, Los Carpinteros' work indicates an aesthetic, or ethos, akin to packaging and consumer culture. Perhaps, in a sense, they are suggesting that the language of survival itself (as in a tent city) has become increasingly interdependent with systems of design and production characteristic of mass culture.

"Buildings are very flexible things. Some have such an obviously functional appearance, like the capitol, whose appearance

centros urbanos tan diversos geográficamente como Nueva York, Los Angeles, Honolulu y Shanghai.

La primera instalación de *Ciudad transportable* consistió en diez estructuras dispersas sobre un césped, flanqueadas de forma espectacular por la Bahía de La Habana, en un extremo, y el Castillo del Morro en el otro. La construcción formal de dichas estructuras fue muestra fehaciente de la fascinación que hace tiempo profesan Los Carpinteros por los códigos formales de la tecnología de las tiendas de campaña. Su confección entera a base de tela sintética color caqui y tubos de aluminio (con *zíppers* para poder entrar y salir de los "edificios" y plástico transparente por ventanas) hizo que el proceso de montarla, desmontarla y re-empacarla resultara una tarea relativamente fácil. El diseño de cada "edificio-tienda" aludía a algún detalle entresacado de la tipología de edificios reales; dicha iconografía correspondía a edificios de la vida real que reflejaban lo que para los artistas constituye la infraestructura institucional esencial de una sociedad urbana moderna, destilando en el proceso unas formas quasi-universal.

"*Ciudad transportable* trata sobre lo mínimo básico que una persona o una sociedad necesita para funcionar. Queríamos crear la célula elemental de lo que puede ser una ciudad." [3]

El trabajo de Los Carpinteros comprende una serie progresiva de obras paralelas, entre las que *Ciudad transportables* funge como eje operativo. Otros proyectos están directamente relacionadas a esta obra central, como por ejemplo: *Torres de cristal,* 2002, *Downtown,* 2003,[4] *Columnas transportables,* 2001, *Presidio,* 2003, *FOCSA,* 2002 y *Piscina llena,* 2001. No obstante, *Ciudad transportable* amplía y consolida la preocupación colectiva ante las posibilidades significadoras de un idioma de representación que irónicamente se transmite y se comprende mediante los códigos de un léxico arquitectónico abstracto.

"Nuestro trabajo estudia los objetos de uso cotidiano y sus funciones. Muchas de nuestras piezas derivan de la alteración o la exageración de la utilidad de un mueble o cualquier otro elemento que habitualmente usamos. Hemos descubierto que en la funcionalidad de las cosas que el hombre fabrica se esconden muchas vetas que denuncian sus ideas y su conducta." [5]

Los Carpinteros contemplan el andamiaje institucional normativo de la arquitectura y el diseño con fascinación y escepticismo. Es por ello que adoptan y a la vez niegan la vocación de "Bellas Artes" inherente a los tipos de edificio que ellos re-representan simbólicamente. Al acudir al recurso de la carpa, sus estructuras automáticamente descartan la funcionalidad definitiva que les da el mundo real, si bien logran cumplir con el propósito de brindarle al espectador un texto arquitectónico identificable de inmediato. Y el hecho de que la obra

*Ciudad transportable / Transportable City*, 2000
Vista de la instalación 7ma Bienal de La Habana /
Installation View, 7th Havana Biennial
Aluminio y tela / Aluminum and cloth
Dimensiones variables / Variable dimensions
*Imagen cortesía del artista / Image courtesy of the artist*

provides information about this functionality. Others, like the hospital, however, are a little more introverted. Its plan is a cross, like the Red Cross, and it has many windows to maximize light. The military building is inspired by fortresses that have tilted walls to deflect the impact of projectiles, and narrow windows to hold guns. For the church, we chose to make a religious temple that, in other circumstances, could be used by different faiths." [6]

As of now, only the first ten buildings in Los Carpinteros' typology have been realized: the factory, the Gothic-like church, the hospital, the military outpost, the university, the domed capitol, the lighthouse, the prison, the warehouse, and the residential apartment building. The artists have left open the possibility that other structures will be added in the future.

Mobile in scope and temporary by nature, tents inexorably carry with them notions of refuge and survival. Existing half way between personal clothing and architectural edifice, the protection of the body is central to their raison d'être, with all the connotations of regression that this invokes. Uniformly dressed in quasi-military fashion, *Ciudad transportable* evokes a range of incompatible associations that resist coming together through easy resolution: militarism and tourism; discipline and laxity; security and destitution; dwelling and displacement; the playfulness of playground architecture.

According to the artists, there were two options for scale systems: "One was to build the camping tents to the scale of real buildings. The other was to reduce the prototypes of traditional buildings to the scale of camping tents or military hospitals. The second was the most logical option, since we wanted to create a type of city that would serve any group of people that see themselves forced to abandon their places, their buildings, their surroundings for whatever existing reasons." [7] The leveling implicit in the homogeneous scale of the tents implies a de-hierarchization not only among the buildings and institutions represented, but also in the relation between people and buildings. In *Ciudad transportable*, these heavy structures regain human scale, and allow for a different kind of imaginary inhabitation to occur.

In recent years, certain artists have become increasingly involved with the poetics of mobility and the aesthetics of the transient, and have addressed the transitory nature of what we understand as home by literally recreating and re-contextualizing such domestic spaces in different public spheres. For instance, Rirkrit Tiravanija reconstructed his New York apartment and offered it for unrestricted public use at the Cologne Kunstverein, and at New York gallery. Other examples come to mind, such as Rachel Whiteread's castings of entire

de Los Carpinteros señale una estética, o un etos, semejante al de la cultura del embalaje y consumo ciertamente contrasta con la estética de la precariedad implícita en la construcción de obras de arte con forma de carpa, o que son verdaderas carpas. Quizás Los Carpinteros nos están sugiriendo que el lenguaje mismo de la supervivencia (cual en una ciudad carpa) se hace cada vez más interdependiente a los sistemas de diseño y producción típicos de la cultura dirigida.

"Los edificios son cosas muy flexibles. Algunos de ellos tienen un aspecto tan obvio, como el capitolio, que su misma apariencia da datos de la funcionalidad. Otros, como el hospital, son un poco más introvertidos; éste tiene planta de cruz, como la Cruz Roja, y muchas ventanas para el acceso de la luz. El edificio militar está inspirado en las fortalezas militares que tienen las paredes inclinadas para evitar el impacto de los proyectiles, y ventanas estrechas para sólo sacar las armas. En la iglesia tratamos de hacer un templo religioso que, en otras circunstancias, pudiera ser usado por otras religiones." [6]

Hasta el momento, sólo se han construido los primeros diez edificios de la tipología de Los Carpinteros: la fábrica; la catedral de estilo gótico; el hospital; el cuartel militar; la universidad; el capitolio con su cúpula; el faro; la prisión; el almacén; y el edificio de apartamentos. Los artistas han planteado la posibilidad de añadir otras estructuras en un futuro.

Con su alcance rodante y su naturaleza temporánea, las tiendas de campaña son portadoras inexorables de un sentido de refugio y supervivencia. Su existencia se debate entre ropaje personal y edificio arquitectónico, y la protección del cuerpo es su razón de ser, con todas las conotaciones regresivas que ello conlleva. Uniformes en su vestimenta quasi-militar, *Ciudad transportable* evoca un amplio marco de asociaciones incompatibles que se resisten a congeniar mediante una resolución fácil: militarismo y turismo; disciplina y laxitud; seguridad y desamparo; morada y desarraigo; lo lúdico en la arquitectura de un parque infantil.

Según los artistas, a la hora de decidir a qué escala construirían la obra tuvieron dos opciones, "Hubo dos opciones de sistema de escala: una era llevar las tiendas a la escala de los edificios reales. La otra, reducir los prototipos de edificios tradicionales a escala de tiendas familiares u hospitales militares. Esta segunda era la más lógica ya que queríamos crear un tipo de ciudad que se pueda llevar a cualquier parte, una ciudad que le sirva a cualquier grupo de gente que se vea obligado a dejar su lugar, sus edificios, su entorno por cualquiera de las tantas razones que existen." [7] Las tiendas de campaña se construyeron a escala homogénea, emparejadas entre sí, desjerarquizando así no sólo los edificios y las instituciones que representan, sino también la

buildings and rooms, Do-Ho Suh's diaphanous replica of his home in translucent pastel fabric, Lucy Orta's *Life Nexus Village* and modular architecture, Andrea Zittel's portable living units and vehicles, to name a few. While these works speak to the much-acknowledged expansion of itinerancy, and the quasi-nomadic conditions that epitomize certain contemporary urban centers, they also effectively counteract a traditional tendency to understand space as fixed and lifeless.

Deeply rooted in the landscape and social memory of their birthplace, Los Carpinteros surreptitiously evoke their country's struggle to overcome the deterioration of its institutions and infrastructure, while also reflecting the playful and improvisational imagination pervasive in Cuba. Imbedded in their practice is an undercurrent of references, accessible in varying degrees depending on the viewer's social, ideological and geographical location. Although nearly all of *Ciudad transportable* was implicitly modeled on specific buildings in Havana, its meanings are not locked up within stagnant polarities of local and global, vernacular versus universal architecture.

"Havana is a very universal city, with many architectural styles, almost all imported. For example, the capitol in Havana is a copy of the capitol in Washington. When it was time to make our *Ciudad transportable*, what we had in hand was Havana… However, it was not our intention to make a reproduction of Havana, or of any other specific city." [8]

Despite its problems, Cuba still exists in the imagination of some as a utopian island, the last revolutionary bastion, the ultimate place of resistance. Yet a related kind of social spatiality within which to consider Cuba, and by (metonymic) extension, Havana, and its apparent doppelganger, *Ciudad transportable*, could prove more useful. When set, as it were, against the Havana skyline, *Ciudad transportable* invited a reading as a city within a city, at once an appendix and something removed. As in Foucault's heterotopias, it conjured a "mythical and real contestation of the space in which we live." [9] Against that original backdrop, *Ciudad transportable* proposed an unprecedented expansion of Los Carpinteros' strategies of representation. Rather than existing, and being understood, primarily within an art context as their previous works had been, this piece stood in direct confrontation with the urban space, which made palpable its reflections, simultaneously upon the city and of the city, bringing together mental construction and physical form. *Ciudad transportable* might be understood, in the words of the artists themselves, as "a multi-use prototype that carries meaning according to the sites and circumstances." [10]

In *Ciudad transportable*, we can discern what might be described as a heterotopic proposition: i.e., a constellation of quasi-referential

relación entre persona y edificio. En *Ciudad transportable*, las pesadas estructuras recobran una escala humana, permitiendo que se les habite en la imaginación de manera diferente.

En los últimos años, ciertos artistas han trabajado la poética de la movilidad y la estética de lo pasajero, y con su obra han enfocado la naturaleza transitoria de lo que entendemos como hogar mediante la recreación y recontextualización literal de los espacios domésticos en diversas esferas públicas. Por ejemplo, Rirkrit Tiravanija reprodujo su apartamento nuyorquino y lo puso a la disposición irrestricta del público en el Kunstverein de Colonia, y en una galería de Nueva York. Me vienen a la mente otros ejemplos, como las piezas fundidas de Rachel Whiteread asemejando edificios y habitaciones enteras; o las diáfanas réplicas de su propia casa en tela traslúcida de tenues colores que realizara Do-Ho-Suh; o la arquitectura modular en la obra *Life Nexus Village* de Lucy Orta; o las viviendas y vehículos portátiles de Andrea Zittel, para nombrar sólo algunas. Si bien estas obras enfocan la ya-reconocida expansión de lo itinerante y la condición quasi-errante, epítome de ciertos centros urbanos contemporáneos, ellas también ayudan a contrarrestar con eficacia la tendencia de concebir el espacio en términos fijos e inertes.

Subrepticiamente, y arraigados profundamente en el paisaje y la memoria social de su lugar de origen, Los Carpinteros evocan el esfuerzo de su país para superar el deterioro de las instituciones e la infraestructura, reflejando a su vez la imaginación lúdica tan dada a la improvisación y tan generalizada en Cuba. En el ejercicio de su arte ha calado profundamente todo un caudal de referencias más o menos identificables según la óptica social, ideológica y geográfica del espectador. A pesar de que casi todos los elementos que integran *Ciudad transportable* se inspiraron en edificios habaneros específicos, el significado de la obra no se estanca entre las polaridades estériles en torno a si la arquitectura es local o global, vernácula o universal.

"La Habana es una ciudad bastante universal, con muchos estilos, casi todos importados. Por ejemplo, el capitolio de La Habana es una copia del capitolio de Washington. A la hora de hacer nuestra *Ciudad transportable*, lo que teníamos a mano era La Habana… aunque no fue nuestra intención hacer una reproducción de La Habana ni de ninguna otra ciudad específica." [8]

A pesar de los problemas que enfrenta, Cuba todavía existe en la imaginación de algunos como la isla utópica, el último bastión revolucionario, el reducto *sine qua non* de resistencia. Sin embargo, puede resultarnos más útil una suerte de espacialidad social en la que mejor puede considerarse a Cuba, y por extensión (metonímica) a La Habana y a *Ciudad transportable*, su aparente doble fantasmal.

structures that indicate a complex aesthetic and political negotiation between local architectural vernacular and global urban discourse. Los Carpinteros offer a new imaginary, a hybrid of architectonic and archetypal language, that plays in a mutable territory between the pragmatic and the impossible.

Una vez instalada con la propia ciudad de La Habana como telón, *Ciudad transportable* sugería una interpretación de "ciudad dentro de otra ciudad", apéndice y objeto aparte, simultáneamente. Al igual que las heteroropías de Foucault, *Ciudad transportable* conjuraba "un cuestionamiento mítico y real del espacio que habitamos".[9] Frente a su telón original, *Ciudad transportable* planteaba una expansión sin precedente de las estrategias de representación empleadas por Los Carpinteros. Lejos de meramente existir y de que se le captara en un contexto artístico como lo fueron sus obras anteriores, esta pieza confrontaba directamente el espacio urbano, haciendo palpable sus reflejos sobre la ciudad y de la ciudad, simultáneamente, sincretizando así la construcción mental y la forma física. *Ciudad transportable* podría entenderse, al decir de sus creadores, como "prototipo de uso múltiple que se carga de significado según el lugar y las circunstancias."[10]

En *Ciudad transportable* se discierne lo que podríamos calificar de *propuesta heterotópica*: o sea, una constelación de estructuras quasi-referenciales que habla de una negociación estética y política compleja entre el vernáculo arquitectónico local y el discurso global urbano. Los Carpinteros nos brindan un nuevo imaginario, un híbrido entre el lenguage arquitectónico y el arquetípico, que se desata en ese territorio mutable que media entre lo pragmático y lo imposible.

(Footnotes)

1      Michel Foucault, "Of Other Places: Utopias and Heterotopias," in Neil Leach, ed., *Rethinking Architecture: A Reader in Cultural Theory.* London: Routledge, 1997, p. 352.
2      Ibid.
3      Los Carpinteros quoted in Carol S. Eliel, *Los Carpinteros's Transportable City* (exhibition brochure). Los Angeles: Los Angeles County Museum of Art, 2001, n.p.
4      Downtown is an accumulation of modern buildings of approximately 3 meters high, all made in wood like beautifully finished furniture where each apartment is a drawer or a door.
5      Los Carpinteros in email communication with the author, July 28, 2003.
6      Ibid.
7      Ibid.
8      Ibid.
9      Foucault, p. 353.
10     Los Carpinteros in email communication with the author, July 28, 2003.

(Notas y Citas)

1      Michel Foucault, "Of Other Places: Utopias and Heterotopías". Publicado en inglés en el libro de Neil Leach (editor) titulado *Rethinking Architecture: A Reader in Cultural Theory.* Londres: Editorial Routledge, 1997, p. 352.
2      Ibid.
3      Cita de Los Carpinteros en el folleto de la exposición *Los Carpinteros's Transportable City,* escrito por Carol S. Eliel. Los Angeles: Museo de Arte del Condado de Los Angeles, 2001.
4      *Downtown* es un conjunto de edificios modernos, de unos 3 metros de alto, todos confeccionados en madera como si fueran hermosos muebles; diversas gavetas y puertas representan los apartamentos.
5      Comunicación electrónica de Los Carpinteros con la autora, 28 de julio de 2003.
6      Ibid.
7      Ibid.
8      Ibid.
9      Foucault, p. 353.
10     Comunicación electrónica de Los Carpinteros con la autora, 28 de julio de 2003.

# SCULPTURES AND INSTALLATIONS

# ESCULTURAS E INSTALACIONES

*La Mano Creadora* / *The Creative Hand,* 2000
Madera / Wood
104 x 84 x 6,4 cms / 41 x 33 x 2.5 in.
*Imagen cortesía de / Image courtesy of Marc Selwyn Fine Art*

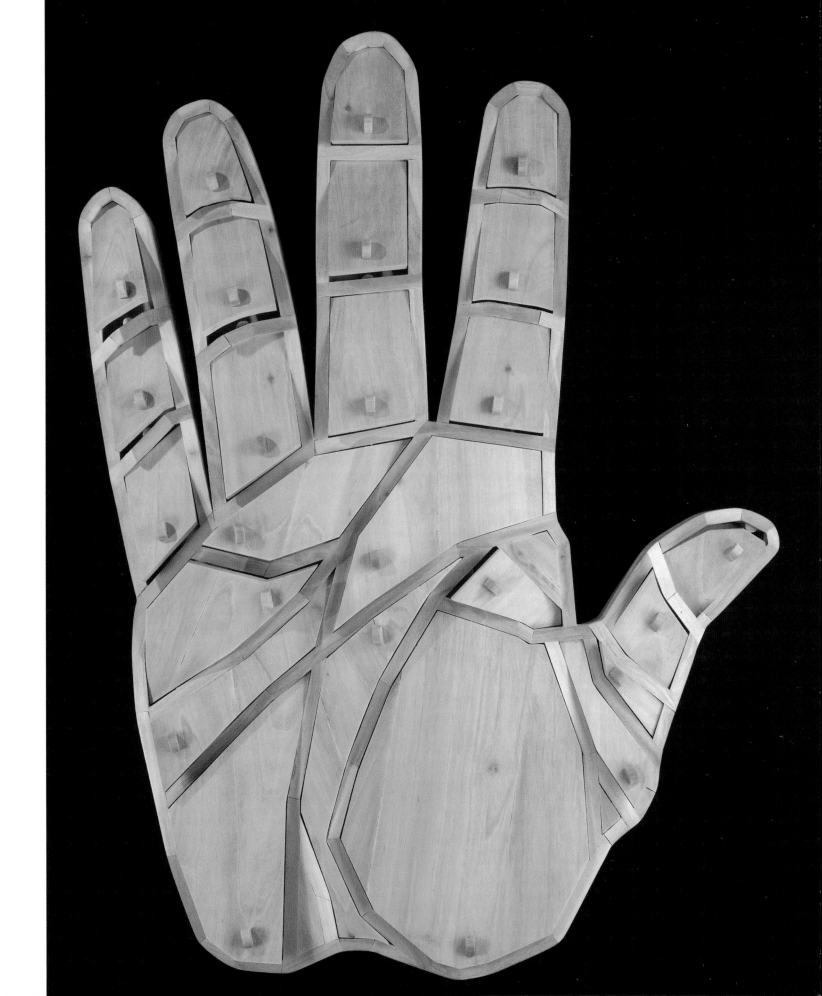

SEÑOR LO HEMOS PERDIDO TODO AL JVEGO. -¿TODO? -TODO MENOS VNA COSA. -¿CVAL? -LAS GANAS DE VOLVER A JVGAR.

*Marquilla cigarrera cubana / Cuban Cigar Label*, 1993
Madera, óleo, tela / Wood, oil, canvas
166,8 x 213,5 x 8 cms / 65.7 x 84 x 3.1 in.
Colección / Collection: Morris and Helen Belkin Art Gallery, Vancouver, Canada
*Imagen cortesía de / Image courtesy of Cristina Vives*

*Havana Country Club*, 1994
Oleo, tela, madera / Oil, canvas, wood
140 x 140 cms / 55.1 x 55.1 in.
Colección privada / Private collection, San Juan, Puerto Rico
*Imagen cortesía de / Image courtesy of Cristina Vives*

*Archivo de Indias / Archive of the Indies*, 1996
Madera / Wood
480 x 140 x 140 cms / 189 x 55.1 x 55.1 in.
Colección / Collection: Fundación ARCO,
Centro Gallego de Arte Contemporáneo, Galicia, España
*Imagen cortesía de / Image courtesy of Cristina Vives*

*Estuche / Jewelry Case*, 1999
Madera / Wood
225 x 130 x 130 cms / 88.6 x 51.1 x 51.1 in.
Colección / Collection: Frankie Diago, New York, NY
*Imagen cortesía del artista / Image courtesy of the artist*

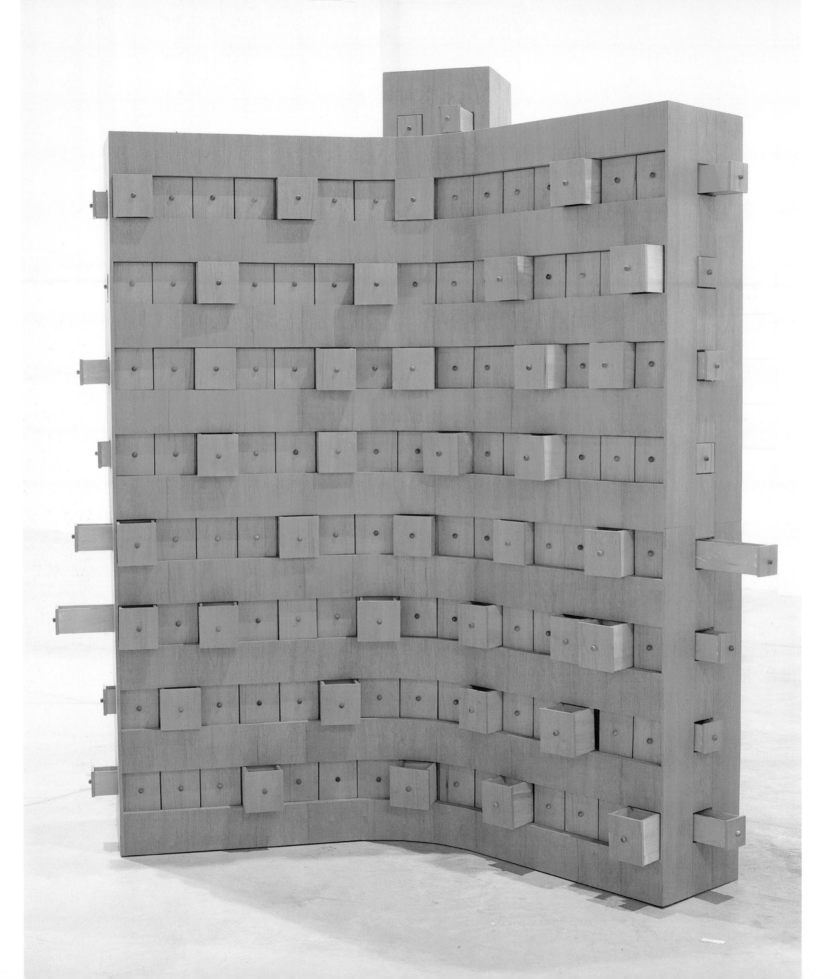

*Colibrí / **Hummingbird**, 1996*
Madera, tela, metal, dibujo en la pared / Wood, canvas, metal, wall drawing
4,58 x 6,11 mts / 15 x 20 ft.
Colección / Collection: Ludwig Forum für Internationale Kunst, Aachen, Alemania, Germany
*Imagen cortesía de / Image courtesy of Ludwig Forum für Internationale Kunst*

**FOCSA**, 2002
Madera / Wood
280 x 200 x 80 cms / 110.2 x 78.7 x 31.4 in.
*Imagen cortesía de / Image courtesy of Galeria Fortes Vilaça, São Paulo*

*Café*, 1996
Ladrillo, madera, zinc galvanizado, hierro, cuerda, dibujo en la pared /
Brick, wood, galvanized zinc, iron, rope, wall drawing
3 x 15 mts / 9.81 x 49 ft.
*Imagen cortesía de / Image courtesy of Cristina Vives*

**Construimos el puente para que cruce la gente / We Built the Bridge for People to Cross**, 1997
Lápiz soluble, pared, metal / Water soluble pencil, wall, metal
25 x 25 x 3 mts / 82 x 82 x 9.8 ft.
*Imagen cortesía de / Image courtesy of Cristina Vives*

*Monumentos de agua / Water Monuments*, 1998
Lápiz soluble en agua, cubos de aluminio, pared /
Water soluble pencil, aluminium buckets, wall
Dimensiones variables / Variable dimensions
*Imagen cortesía de / Image courtesy of Cristina Vives*

***Gavetón / Big Drawer***, 2001
Metal, madera / Metal, wood
93,35 x 76,2 x 137,16 cms / 36.75 x 30 x 54 in.
*Imagen cortesía de / Image courtesy of Anthony Grant, Inc.*

***Archivero plano / Flat File Cabinet***, 2001
Metal, asfalto, pintura de carretera, esthafoam /
Metal, asphalt, road paint, ethafoam
59,69 x 135,89 x 102,87 cms / 23.5 x 53.5 x 40.5 in.
*Imagen cortesía de / Image courtesy of Anthony Grant, Inc.*

*Evaporación / Evaporation*, 1999
Metal, escalera de aluminio, agua / Metal, aluminum stairs, water
400 cms de altura / 157.48 in. high
Colección de los artistas / Collection of the artists
*Imagen cortesía del artista / Image courtesy of the artist*

*Situación de riesgo / Risk Situation*, 1999
Armario de madera, almohadas, cuerda / Wooden armoire, pillows, rope
Dimensiones variables / Variable dimensions
Colección de los artistas / Collection of the artists
*Imagen cortesía del artista / Image courtesy of the artist*

*La siesta / The Nap*, 1998
Sillón de madera, almohadas grandes / Wood armchair, large pillows
335 x 62 x 70,5 cms / 131.89 x 24.41 x 27.76 in.
Colección / Collection: George Lindemann, Miami Beach, Florida
*Imagen cortesía de / Image courtesy of Cristina Vives*

*Espejos de agua / **Water Mirrors**, 2001
Madera, agua, lámparas flex / Wood, water, flex lamps
Dimensiones variables / Variable dimensions
*Imagen cortesía del artista / Image courtesy of the artist*

*Plantacion de café / Coffee Plantation*, 2001
Concreto y aluminio / Concrete and aluminum
Dimensiones variables / Variable dimensions
*Imagen cortesía del artista / Image courtesy of the artist*

Both pages:
*Piscina llena / **Filled Pool**, 2001
Materiale de piscina y escaleras de metal / Pool material and metal stairs
Dimensiones variables / Variable dimensions
*Imagen cortesía de / Image courtesy of Anthony Grant, Inc.*

*Sofá caliente / Hot Sofa,* 2001
Acero tratado con épxoy / Powder coated steel
83,82 x 198,12 x 81,28 cms / 33 x 78 x 32 in.
Colección privada / Private collection
*Imagen cortesía de / Image courtesy of Anthony Grant, Inc.*

*Escalera / Staircase,* 2001
Acero tratado con épxoy / Powder coated steel
93,34 x 76,2 x 137,16 cms / 36.75 x 30 x 54 in.
Colección privada / Private collection
*Imagen cortesía de / Image courtesy of Anthony Grant, Inc.*

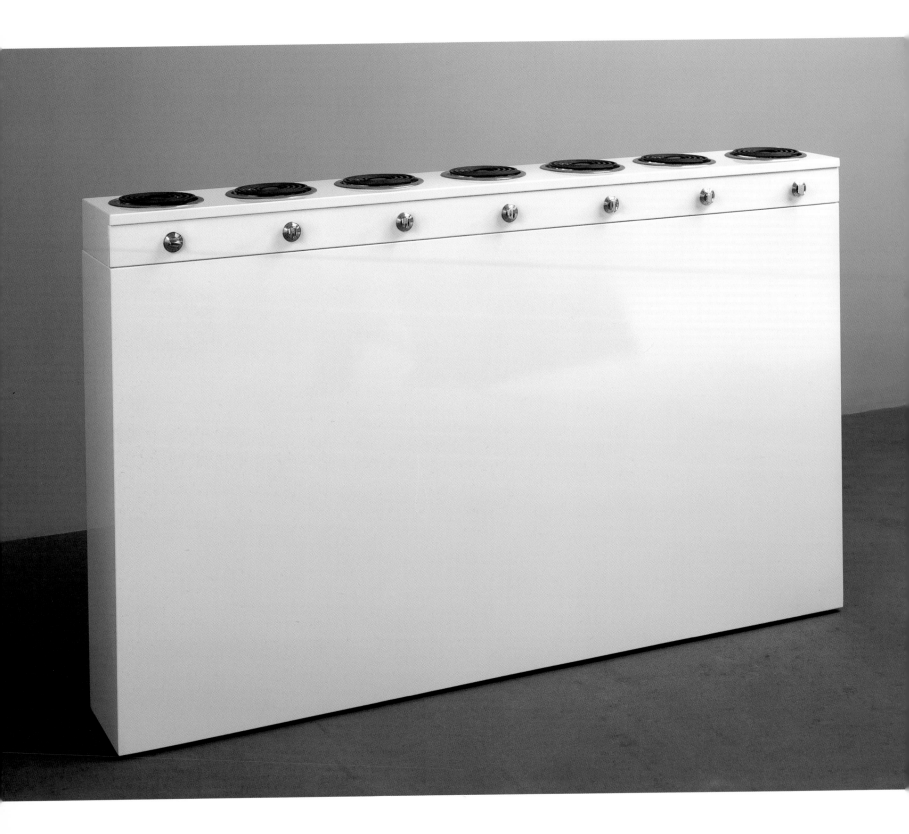

*Biblioteca, I, II* y *III* / *Library I, II* and *III*, 2001
Tirada de dos / Edition of two
Cinta métrica, pintura / Tape measure, paint
Dimensiones variables / Variable dimensions
Biblioteca II, 1 de 2: Colección del Museo Ulrich, Wichita State University, Kansas /
Library II, 1 of 2: Collection of the Ulrich Museum, Wichita State University, Kansas
El resto de las partes se encuentran en colecciónes privadas /
The remaining impressions are in private collections
*Imagen cortesía del artista* / *Image courtesy of the artist*

*Muro* / *Wall*, 2001
Acero tratado con époxy / Powder coated steel
128,27 x 213,36 x 31,12 cms / 50.5 x 84 x 12.25 in.
*Imagen cortesía del artista* / *Image courtesy of the artist*

Both pages:
*Ciudad transportable / Transportable City*, 2000
Vista de la instalación 7ma Bienal de La Habana / Installation View, 7th Havana Biennial
Aluminio y tela / Aluminum and cloth
Dimensiones variables / Variable dimensions
Capitolio, Edificio por departamentos, Iglesia, Fábrica, Faro, Presidio, Hospital, Edificio militar, Almacén, Universidad /
Capitol Building, Apartment Building, Church, Factory, Lighthouse, Prison, Hospital, Military Building, Warehouse, University
*Imagen cortesía del artista / Image courtesy of the artist*

*Ciudad transportable / **Transportable City**, 2001
Vista de la instalación en P.S. 1, Nueva York /
Installation View P.S. 1, New York
Aluminio y tela / Aluminum and cloth
Dimensiones variables / Variable dimensions
Fotografía de / Photograph by Eileen Costa
*Imagen cortesía de / Image courtesy of P.S. 1, New York*

**Capitolio / Capitol Building**, 2001
Vista de la instalación en P.S. 1, Nueva York /
Installation View P.S. 1, New York
Alumino y tela / Aluminum and cloth
Dimensiones variables / Variable dimensions
Fotografía de / Photograph by by Eileen Costa
*Imagen cortesía de / Image courtesy of P.S. 1, New York*

*Torres de vigía* / *Watch Towers*, 2002
Aluminio y polycarbonato / Aluminum and polycarbonate
7,4 x 3 x 3 mts (cada torre) / 24.28 x 9.84 x 9.84 ft (each tower)
Dimensiones variables / Variable dimensions
*Imagen cortesía de / Image courtesy of Galeria Fortes Vilaça, São Paulo*

# INTERVIEW

# ENTREVISTA

Conversation / Interview with Los Carpinteros
(Alexandre Arrechea, Marco Castillo and Dagoberto Rodríguez)
by Margaret Miller and Noel Smith
July 15, 2003, in Havana, Cuba

**Margaret Miller (MM): Let's begin by talking about collaboration. Remind me of the Spanish word for a 'collective?'**

**Alexandre Arrechea (AA):** *Equipo.*

**MM:** *Equipo,* **I like that word. Will you describe your collaborative process?**

**AA:** The terms of collaboration are very practical, and they become important, once you decide that you are not working solo. You share your ideas and sign under a common name, which is what unifies the collaboration and gives authorship. You're working within a community of people with similar interests and there is no need to know the author of the idea. The idea in our case is to receive the benefit of what we are creating as a team, so to me, it's been a very pleasant moment, very important, and I've been doing this for over 12 years.

**Dagoberto Rodríguez (DR):** I think that art is not something you do totally on your own, because the process of bringing about the actual work of art involves more than one. There is always a friend, a handyman, or a colleague who enriches the idea in a general sense. Many of our pieces have emerged from conversations we've had with each other, from certain influences we wanted to leave behind, and things like that. The actual creative moment is something else, and it is strictly personal, we know that. However, what has made us share that moment every time is the passion for seeing incredible things come to life.

**AA:** This (*this interview*) is collaboration. We are here.

Conversación / Entrevista con Los Carpinteros
(Alexandre Arrechea, Marco Castillo and Dagoberto Rodríguez)
realizada por Margaret Miller y Noel Smith
el 15 de julio 2003, en La Habana, Cuba

**Margaret Miller (MM): Comencemos hablando de lo que es la colaboración. Ayúdenme a recordar cómo se dice 'collective' en español.**

**Alexandre Arrechea (AA)**: *Equipo.*

**MM:** *Equipo,* **me encanta esa palabra. Me gustaría que me explicarán vuestro proceso de colaboración.**

**AA:** Las condiciones de una colaboración son muy prácticas, y se tornan importantes cuando uno decide que no va a trabajar por sí solo. Uno comparte sus ideas y firma la obra con un nombre común. Eso es lo que le da unidad a la colaboración y le otorga autoría. Uno trabaja en comunidad con otras personas que tienen intereses similares, y no es necesario saber quién es el autor de la idea. El objetivo en nuestro caso es poder recibir el beneficio de lo que estamos creando como equipo, y ese momento para mí es muy agradable, muy importante. Llevo doce años haciéndolo.

**Dagoberto Rodríguez (DR):** Yo creo que hacer arte no es algo absolutamente personal ya que el sistema implica a más de una persona. Para realizar una obra de arte siempre hay un amigo, alguien que ayuda a fabricarla, un colega que te aporta en sentido general. Muchas de nuestras obras salieron de conversaciones que teníamos, de influencias que queríamos dejar atrás...etc. El momento de la creación es otra cosa, y es personal. Nosotros lo sabemos, pero lo que nos ha hecho compartirlo siempre es esa pasión que tenemos por ver realizadas cosas increíbles.

**AA:** Esta entrevista es una colaboración. Aquí estamos.

**MM: How expansive is your approach to collaboration – does it extend beyond the three of you to include appropriating from art history, referencing your personal history, and the practice of other artists?**

**Marco Castillo (MC):** I think our collaboration started completely spontaneously. We were very young and still green. At school (Superior Institute of Art / ISA) there were groups of our colleagues who were always arguing about art and theory, and many times we joined those discussions, but we spent most of our time in the studio.

Everyone from outside of Havana stayed in a dormitory at the school. We lived in rooms next to each other, Dago and Alex in the same room. Sometimes we talked about working as a group, but the collaboration happened spontaneously. I don't know how we got there, we started working for just one show and we never have been able to stop working as a collective.

**MM: Los Carpinteros started working together in the early 1990s. Describe your sense of the times. What was the socio-economic climate that you responded to as artists?**

**AA:** Well, to start with, we were students, and when you are a student, the idea you have of the world outside your school is that you are unprepared. You're still in the process of becoming someone in the future. But then we realized that our place was already set and we had to be ready to take center stage. This was at the end of the 80s, when Cuban artists were leaving the country in large numbers. I'm talking about the top young artists in Cuba. There was a large exodus of artists and this left an empty space to be filled. There was also a pretty bad economic situation. At the time it was worse than it is now, and that created more difficulties for making art, because you needed materials. Because we couldn't afford fancy materials, we developed a strategy… It was easier to find wood in the forest, and we actually went to the woods and we cut trees. Not that everything was successful with cutting the trees. The first time we cut a tree it was at night. We were by a river and it flooded its banks, taking a beautiful cedar that we had been cutting for two days. We did not have the skills. So it was kind of a very primitive beginning. It's like the early history of humankind, to a point (laughs). You start cutting the trees, you produce the goods, and then you sell them.

**MC:** We went to the woods, but we also went to vacant houses. The Institute of Art is located in one of the richest areas in Cuba. It's

**MM: ¿Cuán amplio es para ustedes el hecho en sí de la colaboración? ¿Se extiende más allá de ustedes tres para incluir, por ejemplo, referentes de la historia del arte, o de vuestras historias personales, e incluso lo que hacen otros artistas?**

**Marco Castillo (MC):** Creo que nuestra colaboración comenzó como algo totalmente espontáneo. Éramos muy jóvenes y estábamos verdes todavía. En la escuela (Instituto Superior de Arte/ISA) habían grupos de colegas que siempre estaban discutiendo sobre arte y teoría, muchas veces tomábamos parte de estas discusiones, pero donde pasábamos la mayor parte de tiempo era en el taller.

Todos los de provincia dormíamos en un albergue de la propia escuela. Vivíamos en habitaciones una al lado de la otra; Dago y Alex compartían el mismo dormitorio. Algunas veces hablábamos de trabajar en grupo, pero la colaboración surgió espontáneamente. No sé cómo llegamos a ese punto; comenzamos a trabajar para una exposición, y nunca hemos podido parar de trabajar en colectivo.

**MM: 'Los Carpinteros' comenzaron a trabajar en conjunto a principio de los noventa. Cuéntenme sus impresiones de aquel momento. Descríbanme la atmósfera socio-económica a la cual ustedes respondieron como artistas.**

**AA:** Bueno, para empezar, éramos estudiantes, y cuando uno es estudiante lo que piensa sobre el mundo fuera de la escuela es que uno no está preparado para él. Uno todavía está tratando de llegar a ser alguien en el futuro. Pero un día nos dimos cuenta de que había un espacio para nosotros, y que teníamos que prepararnos para ocupar el centro mismo de aquel escenario. Esto sucedió a finales de los ochenta, cuando muchos plásticos cubanos estaban abandonando el país. Me refiero a la crema y nata de los artistas jóvenes de Cuba. Hubo un éxodo fuerte de artistas, y ello dejó un vacío que había que llenar. La situación económica también era terrible. En aquel momento las cosas estaban peor que hoy, y eso dificultaba la creación, porque se necesitaban materiales. Como nosotros no teníamos con qué comprar materiales caros, desarrollamos una estrategia. Era más fácil conseguir madera en el campo, y allá fuimos, al campo, a cortar árboles. No es que siempre nos fue bien cortando árboles. Era de noche cuando cortamos el primer árbol, a la orilla de un río que se había desbordado. El río se llevó un hermoso cedro que nos había llevado dos días cortar. No sabíamos cortar árboles. Se puede decir que esos comienzos fueron primitivos; hasta cierto punto, casi como

like Beverly Hills. Most of the houses, by the time we were students, were vacant. Nobody lived there, so we really invaded these houses. We knew this was illegal… but, we didn't have any other obvious alternative, and it was not only us, but also many other people from the neighborhood.

**DR:** We recycled the woodwork and details of decoration from the houses.

**MM: How did the overlay of this 'climate' and your inventive search for available materials, shape your wit and conceptual position?**

**AA:** At some point the approach to the houses became the source for our future work, because after that we started to work with architecture.

**DR:** Alex is talking about one element that is always present in our work – reflection about spaces. Working with materials from those houses… that was the beginning. It was like the hunter wearing the skin of the catch.

**MC:** When we started working together it was just when the Russians left Cuba and the aesthetics were completely different. All the furniture that became fashionable at that moment was more rational, conceptually more Eastern European. You know, very cheap materials and very practical. Obviously, it was more related to social development than to luxury, and we come from really poor areas, really poor. Not only were our families poor, also the areas in which we grew up, had always been poor. I had never been in a rich person's house until we went into those vacant houses in Havana. I'd never been in a mansion. It was really impressive and "enriching."

**AA:** We were really fascinated; because at some point we tried to imitate some forms that we found in the houses and even tried to be competitive with them. If they could do it, why couldn't we?

**NS: Can you describe some of the elements you took from the houses and the works you created to 'challenge' and transform them?**

**AA:** For our first major exhibition, *Interior habanero* (Havana Interior), we took all that was left from the houses – history, materials, and risk (the risk came from the police, who were always patrolling to protect the houses from vandals). The project was composed of five large-

en la prehistoria. (Hay risas) Uno corta los árboles, fabrica cosas, y luego las vende.

**MC:** Nos fuimos al campo, pero también nos metimos en unas casas que estaban desocupadas. El Instituto Superior de Arte está localizado en una de las áreas más opulentas de Cuba, algo así como Beverly Hills. Para la época en que éramos estudiantes del ISA nadie vivía en aquellas casas, así que nosotros las invadimos. Sabíamos bien que lo que hacíamos era ilegal… pero, no teníamos ninguna otra alternativa disponible. Y además, no éramos los únicos: otra gente en el barrio hacía lo mismo.

**DR:** Reciclábamos las maderas y los decorados de las casas.

**MM: ¿De qué manera tanto la atmósfera del momento como el hecho de tener que resolver la búsqueda de materiales, han moldeado la agudeza y el enfoque hacia lo conceptual que les caracteriza?**

**AA:** En algún momento el trasiego con las casas se convirtió en la fuente abastecedora de nuestro trabajo futuro, porque fue como consecuencia de ello que comenzamos a trabajar con el tema de la arquitectura.

**DR:** Alex se refiere a un elemento que siempre está presente en nuestra obra: la reflexión sobre los espacios. El haber trabajado con materiales provenientes de aquellas casas… ése fue el principio. Fue como cuando el cazador viste la propia piel de su presa.

**MC:** Nosotros comenzamos a trabajar juntos justo cuando los rusos se fueron de Cuba y la estética era completamente diferente. Se pusieron de moda muebles más racionales, de corte más como en Europa del Este. Lo que quiero decir es que los materiales eran muy baratos y muy prácticos. Claro que esto tenía más que ver con desarrollo social que con el lujo, y nosotros venimos de áreas muy pero que muy pobres. No sólo eran pobres nuestras familias, sino también los sitios donde fuimos creciendo. Yo nunca había puesto un pie en casa de gente rica hasta que nos metimos en aquellas casas vacías en La Habana. Yo nunca había entrado en una mansión. Fue impresionante y muy "enriquecedor".

**AA:** A nosotros nos fascinó. En algún momento tratamos de imitar algunas de las formas que encontramos en aquellas casas, y hasta tratamos de competir con ellas. ¿Cuáles eran mejor, las originales o las nuestras? Si ellos lo habían logrado, por que no nosotros?

scale pieces of "furniture" that served as frames for paintings. Each work was a reflection on the past and present dichotomy in which we were living. In the paintings we depicted ourselves as protagonists or adventurers.

**DR:** The art school was built on a former golf course that housed a Victorian-style hotel. Around that time we built a piece titled *Quemando árboles* (Burning Trees). It was a winter fireplace, something that is completely anachronistic in this country. The hotel's was made of marble; we made ours of richly decorated wood. In the space where you burn the firewood we placed a painting of us dancing in front of a huge fire, stark naked.

**MC:** *Habana Country Club* was a similar piece. It is a large-scale painting done with a technique that evoked the style of the colonial period. Cuba's former high class had a predilection for that kind of art. Its cedar and mahogany frame also was massive, and bore an inscription that said "Habana Country Club." The painting portrayed us as students trying to play golf in the new flowering fields of the art school.

**DR:** We also found a political connection to a kind of obsession with rich, tacky paintings.

**NS: What do you mean by political connection?**

**DR:** The preoccupation with the past always has some political connotations.

**MC:** We have grown up with a present *versus* past mentality, the accomplishments of the present *versus* the failures of the past, for instance. We dared to dig a bit deeper. We started to research a topic that had political implications of its own, although in reality we were much more interested in the habits and objects that characterized that period of our society. We felt like anthropologists digging up the lifestyle of Cuba's former middle class.

**MM: So on one level you were regressing.**

**DR:** It's regressive only in terms of language… That we could manipulate with our art the tastes and obsessions that defined the "country-club lifestyle" of those people was a very attractive proposition, because, just as they had fashioned their own statement, so we were searching for our own "shadow on the wall."

**Noel Smith (NS): ¿Pueden describir algunos de los elementos que tomaron de esas casas, y otro tanto sobre las obras que crearon como ejercicio retador y transformador de las mismas?**

**AA:** Para nuestra primera exposición importante – *Interior habanero* – tomamos lo que quedaba de aquellas casas: historia, materiales y riesgo. (El riesgo lo puso la policía, que siempre patrullaba el área para impedir que las residencias fueran saqueadas). El proyecto comprendía cinco inmensos "muebles" que fungían como marcos de cuadros. Cada uno de ellos era una reflexión de la dicotomía "presente-pasado" en que estábamos viviendo en ese momento. El tema de los cuadros éramos nosotros mismos, como protagonistas o como aventureros.

**DR:** La escuela de arte la fabricaron en un antiguo campo de golf con un hotel que tenía una decoración estilo victoriano. Por esa época hicimos una obra titulada *Quemando árboles*; era una estufa para el invierno, algo que en este país es completamente anacrónico. En el hotel había una de mármol, nosotros hicimos otra de madera que estaba ricamente decorada. En el área donde va el fuego había un cuadro donde aparecíamos desnudos bailando delante de una gran hoguera…

**MC:** *Habana Country Club* era otra de esas piezas. Es un cuadro de gran escala pintado con una técnica que recordaba los cuadros coloniales (los preferidos de aquella clase social). Tenía también un marco robusto de cedro y caoba que tenía una inscripción que decía "Habana Country Club." El cuadro describía una escena en la que estamos nosotros, estudiantes tratando de jugar golf en los nuevos campos floridos de las escuelas de arte.

**DR:** También encontramos un nexo político con una cierta obsesión con pinturas ricas pero picúas.

**NS: ¿Que quieren decir con eso de "nexo politico"?**

**DR:** La preocupación por el pasado es casi siempre algo político.

**MC:** Hemos crecido con el pensamiento del presente *versus* pasado. Las conquistas del presente contra los desastres del pasado. Nos atrevimos a excavar un poco más. Nos metimos en una investigación que por su naturaleza tenía un halo político, pero realmente estábamos más interesados en los hábitos y los objetos de aquella sociedad. Nos sentíamos como antropólogos de la antigua burguesía cubana.

**AA:** That's what we were doing. We wanted to present to the public things that we considered part of the recent history of the country, through the filter of how we saw it.

**DR:** We were not only recycling wood. We recycled a conception of the past in Cuba.

**MM: Your work was ostensibly conservative, yet subversive without being cynical. Is the element of wit and humor a self-conscious strategy?**

**AA:** Things were falling apart. Things were totally destroyed. People were using what they found, as well as selling things in the street. As they tried to get rid of things, we tried to keep them, recreate them, and to reflect about that process in a critical way. This turned into a very humorous and ridiculous situation.

I want also to point out, that after we exhibited *Interior habanero* (Havana Interior), there were people very interested in buying the work. But it so happened that they were collectors from Miami, where many of the richest Cuban exiles settled, after they abandoned their houses in the early sixties. When we developed our thesis project for graduation, we took advantage of this interest. We created a fake letter from a collector in Miami, who wrote why he loved our work and wanted to buy it. Everyone thought it was real, and *Art Nexus* published a news item about how all our works were bought by a Miami collector, but it was a fake.

**NS: How did your name, 'Los Carpinteros,' and the concept of your collaborative tie into this? Were the objects and materials you were rescuing, challenging and recreating made within a colonial or post-colonial guild tradition? Or is the idea of a collective, artists or artisans working together, tied to socialism?**

**MC**: As you say, the guild is something that has always existed in all social contexts. It's a practical necessity and something that happens when there are people with the same interests. We wanted to recreate a guild with all its operations; it didn't necessarily have to be a carpenters' guild, in fact, we were also inspired by shipbuilders, masons, railroad workers, cigar workers and many other kinds of guilds.

**MM: And so this is how you came up with 'Los Carpinteros,' it was a revival of the guild. In the arena of art it functioned as a form of camouflage. Was this how you responded to the political atmosphere?**

**MM: ¿Puede decirse que, al menos a un nivel, hicieron una regresión?**

**DR:** Una regresión, pero sólo en términos de lenguaje… Nosotros encontramos muy atractivo el hecho de poder manipular con nuestras obras los gustos y las obsesiones de toda esa gente relacionada con el 'Country Club style of life' porque, así como ellos lo habían logrado, nosotros estábamos buscando nuestra propia 'sombra en el muro'.

**AA:** Eso es lo que estábamos haciendo, en realidad. Queríamos presentarle al público lo que considerábamos parte de la historia reciente del país, vista a través del filtro de nuestra propia visión.

**DR:** No sólo estábamos reciclando madera. Estábamos reciclando todo un concepto del pasado que existe en Cuba.

**MM: Vuestro trabajo era ostensiblemente conservador, pero también subversivo sin llegar al cinismo. ¿Es ese humor tan agudo una estrategia dada por cierta timidez en ustedes?**

**AA:** Todo estaba destartalado. Había una desmoronamiento general. La gente usaba todo lo que tenía a mano, y también se puso a vender cosas en la calle. Mientras los demás se deshacían de las cosas, nosotros tratábamos de conservarlas, de recrearlas, haciendo a la vez una reflexión crítica del proceso. Esto se convirtió en algo muy cómico y a la vez ridículo.

Quiero también resaltar que después que exhibimos *Interior Habanero*, hubo mucha gente interesadísima en comprar la obra, excepto que los interesados eran coleccionistas de Miami, donde residen muchos exilados ricos que se establecieron allí luego de abandonar sus residencias en los años sesenta. Cuando formulamos nuestro proyecto para la tesis de grado aprovechamos esa coyuntura. Escribimos una carta falsa de un supuesto coleccionista de Miami, que nos escribía de lo mucho que le gustaba nuestro trabajo y de su deseo de comprarlo. Todo el mundo se creyó que la carta era verdadera, y *Art Nexus* publicó una nota de prensa que decía que un coleccionista de Miami había comprado toda nuestra obra. Era falso.

**NS: ¿Cómo es que el nombre 'Los Carpinteros' y el concepto de la colaboración entre ustedes se imbrica en todo esto? ¿Qué nos pueden decir sobre la fabricación de los objetos y materiales que**

MC: We have to come back to this point. The moment we lived was a very hard time for artists not only because of the economic situation, but also it was a time of very intense discussions between artists and institutions. So – we created a strategy – a guild of carpenters, labor, not ideas. The institutions really became fascinated with our aesthetic, that is, with the artist doing the physical labor and the very process of creating objects…

**NS: Who were the artists or theorists that you studied and read at ISA that have inspired your work?**

DR: We consider ourselves avid readers of publications like *Popular Mechanics*, which circulated a lot in Cuba during the 1950's at a time when you could build anything that occurred to you. The art school curriculum also included authors whose writings fall under art criticism: Eco, Roland Barthes, Foucault. These authors shed light on our efforts to explain our work to ourselves from a sociological standpoint – in fact, this type of questioning was typical when we were in school – and we have kept on reading even until today. We have always been interested in conceptual art, in minimalism, 19th century Russian painting, and period furniture.

**MM: To what degree, as developing artists, were you aware of what was going on in the art world – in the United States, Europe, Latin America, Asia or even Africa? Did you think of yourselves as working in a global situation or did this come as you began to travel?**

AA: Well, that's an interesting point because the first time we traveled outside Cuba was in December 1994. We went to Spain *(Ed. note: Santa Cruz de Mudela in Valdepeñas, about 63 miles southeast of Madrid).* We were invited there for a residency. We got there and we didn't know what to do.

DR: I remember when they opened the airplane door. We went out into the freezing air, and it was like opening a refrigerator. It was like, wow!

MC: In terms of practical things: how to flush a toilet, how to use a shower, we were really in awe of all the basics – in the Middle Ages practically. But in contemporary art, I think the three of us and many other Cuban artists, felt like we were in the right place because our studies of art history were really intense, really serious. We knew what the outside world was doing. Many of our teachers traveled a

ustedes decidieron rescatar, retar y recrear? ¿Fueron fabricados en la tradición gremial de la era colonial o pos-colonial? ¿O es que esa noción de colectividad en que un grupo de artistas o artesanos trabaja en conjunto se desprende del socialismo?

MC: El gremio es algo que siempre ha existido, como tu dices, en cualquier coyuntura social. Es una necesidad física y algo que sucede cuando hay personas afines. Queríamos recrear un gremio y sus mecanismos; no tenia que ser precisamente un gremio de carpinteros; es más, nos inspiramos también en los fabricantes de botes, en los albañiles, en los ferroviarios, tabacaleros y en mucho otros tipos.

**MM: Entonces, ¿es así que a ustedes se les ocurre lo de 'Los Carpinteros', como una reanimación del gremio? En la arena del arte, funcionó como una forma de camuflaje. ¿Cómo lidiaron con la atmósfera política?**

MC: Hay que volver a este punto. El momento que se vivía era muy difícil, no sólo por la situación económica que atravesábamos, sino también porque era un momento de intensas discusiones entre artistas e instituciones. Entonces, diseñamos una estrategia: un gremio de carpinteros. Mano de obra, no ideas. Las instituciones se fascinaron totalmente con nuestra nueva estética y también con la de otros artistas de nuestra generación, ya sabes, artistas fascinados por la labor y por cómo la labor produce objetos.

**NS: ¿Quiénes de los artistas o teóricos que estudiaron y leyeron en el ISA han sido inspiración para ustedes?**

DR: Nosotros nos consideramos muy buenos lectores de ese tipo de publicaciones como *Mecánica Popular,* que fue una publicación muy común en Cuba en los cincuenta, donde tú podías hacer de todo lo que se te ocurriera. También el programa de la universidad incluía el estudio de autores que hicieron su trabajo muy relacionado con la critica del arte: Eco, Roland Barthes, Foucault, toda estos autores nos dieron claridad a la hora de explicarnos nuestro trabajo desde un punto de vista sociológico – de hecho, ésta era una pregunta típica cuando éramos estudiantes – y todas estas lecturas han continuado hasta el presente. Nos ha interesado siempre el conceptualismo, el *minimal art,* tanto como la pintura rusa del siglo 19 y los muebles de estilo.

**MM: ¿Hasta qué punto, como artistas aún en proceso de maduración, conocían ustedes lo que acontecía en el mundo del**

lot, and they brought back all these materials, books, and catalogues, like we do now, when we come back to Havana. We knew what was happening with European and American art and what contemporary artists from Latin America and Africa were doing. We were really up to date with this information.

**MM: Can you talk more about Dago's comment that stepping off the airplane in Spain "was like opening a refrigerator?" How have your experiences traveling affected your art practice?**

**AA:** When we got to Spain, we realized that we were working with concepts that related only to Cuba. We realized we had to do something different, in order to communicate new ideas. Traveling for us – and I think for many artists – is a way to measure and understand today's world.

**MM: Was it at this moment that you recognized new opportunities for your work?**

**AA:** We were in front of another public. So we didn't change the work dramatically. But we knew something was going to change.

**DR:** We realized that our roots would be our identity. We don't have to find our identity. I have my identity.

**NS: Do you mean that you realized that your work would be always identified with your being Cuban and that was not acceptable to you as an artist?**

**DR:** Around that time we realized that if we wanted more people to understand our art, we would have to go beyond the mere representation of local situations.

**AA:** So, we started to work with different materials. That was an important step of that trip.

**NS: Can you explain this change, perhaps mention a new work or new way of working that came up at this time because of this realization?**

**DR:** We made radical decisions, and oil painting vanished from our installations. We kept on painting, but this time we only used water color. Those studies became progressively more important. They

arte, en Estados Unidos, en Europa, América Latina, Asia, y hasta en África? ¿Se veían a sí mismos como artistas en un contexto global, o esa percepción cuajó más tarde cuando comenzaron a viajar al exterior?

**AA:** Fíjate, ése es un punto interesante. La primera vez que viajamos al exterior fue en diciembre de 1994. En aquel entonces fuimos a España *(Nota de la Editora: Santa Cruz de Mudela, en Valdepeñas, a unos 100 km al sureste de Madrid)*. Fuimos invitados a realizar una residencia allí. Cuando llegamos no sabíamos qué hacer.

**DR:** Me acuerdo del momento en que abrieron las puertas del avión. Salimos a aquel aire congelado, y fue como si se hubiera abierto la puerta de un refrigerador. Fue algo así como "*¡Coñóoo!*"

**MC:** Y estamos hablando de las cosas prácticas, vaya: cómo descargar un inodoro, cómo usar una ducha, estábamos estupefactos ante las cosas más elementales, como si hubiéramos llegado del Medievo. Pero en lo concerniente al arte contemporáneo, nosotros tres, y muchos otros artistas cubanos, sabíamos que estábamos bien ubicados, porque nuestros estudios sobre historia del arte fueron realmente muy intensos, muy serios. Sabíamos lo que se estaba realizando en el exterior, ya que muchos de nuestros profesores viajaban bastante, y regresaban con montones de materiales, libros y catálogos, al igual que hacemos nosotros ahora cada vez que regresamos a La Habana. Sabíamos lo que estaba pasando con el arte en Europa, en Estados Unidos, y lo que los artistas contemporáneos en América Latina y África estaban haciendo. Verdaderamente estábamos al día de toda esa información.

**MM: ¿Pueden hablarnos un poco más sobre el comentario de Dago en cuanto a que bajarse del avión en España fue como si "se hubiera abierto la puerta de un refrigerador"? ¿De qué manera han afectado los viajes su trabajo artístico?**

**AA:** Cuando llegamos a España nos dimos cuenta de que habíamos estado trabajando con conceptos exclusivamente cubanos. Nos dimos cuenta de que teníamos que hacer algo diferente para poder comunicar nuevas ideas. Para nosotros, y creo que para muchos artistas, la posibilidad de viajar nos permite apreciar y comprender lo que sucede hoy en el mundo.

**MM: ¿Fue en ese momento que ustedes se dieron cuenta de que había nuevas oportunidades para su trabajo?**

became our means of communication and idea pool. Our concerns began to change, and the work became a kind of reflection upon the new spaces and objects with which we were interacting. It was like discovering the world all over again. We concentrated on buildings, utensils and almost all man-made artefacts. We were most interested in the functionality of things, and man's capacity to adapt the visual element of objects to different circumstances. We don't pretend to be designers, but our work requires high degrees of technical knowledge and observation. Lately we seem to need architects, producers and construction crews more and more. *Ciudad transportable* (Transportable City), *Escalera* (Staircase), *Torres de vigía* (Watchtowers), and *Piscina llena* (Filled Pool), are good examples of this process.

**MM: When you accept an invitation for a residency do you respond to the place or the site in any particular way? Can you talk about the conceptual and collaborative process for developing an idea?**

**DR:** The place where we install an artwork is like a good dessert after a meal… That is the time to stand back and look at how everything has turned out. When we decide that we are going to build something, the question of dimension and whether the work will be shown in different places, comes into play. We love to build site-specific works; it's like ordering a pizza. We try to build in such a way as to make the final product flexible both for the purpose of interpretation as well as installation. Many of our recent installations have been done directly on the wall where they will be exhibited, so they have to adapt to the architectural anatomy of the site. They become blueprints of plausible objects, buildings, etc., and are built to natural scale. Examples of this process are: *Construimos el puente para que cruce la gente* (We Built the Bridge So That People May Cross), *Prisión* (Prison), and *Monumentos de agua* (Water Monuments).

**NS: Humor is an important element in your work. How did this evolve and how do you work on that as collaborators?**

**DR:** It's not 100% controlled. The joke is always something that surprises you. You can't control a joke. You create something and, I don't know, sometimes it's funny.

**AA:** For example, we have one basic idea, let's say roads. *(Ed. Note: this refers to* Fluido, *the installation created for the 8ᵗʰ Havana Bienal.)* You have the road, but then you inflate the road. There's no road you can inflate. We are always going to the contrary: that's the base. From there you start making other connections.

**AA:** Es que nos enfrentamos a otro público. No hubo un cambio dramático en nuestra obra, pero nos dimos cuenta de que en algo iba a cambiar.

**DR:** Nos dimos cuenta de que nuestras raíces serían nuestra identidad. No tenemos que buscar nuestra identidad. Ya yo tengo mi propia identidad.

**NS: ¿Quieren decir que se dieron cuenta de que vuestro trabajo se identificaría siempre con el hecho de ser cubanos, y que para ustedes, en calidad de artistas, eso no era suficiente?**

**DR:** Por aquel entonces nos dimos cuenta de que si queríamos que más personas entendieran nuestro arte, éste debía traspasar el umbral de las situaciones locales.

**AA:** Fue cuando comenzamos a trabajar con diferentes materiales. Eso fue un paso importante que nos propinó ese viaje.

**NS: ¿Pueden explicarnos el cambio, o quizás mencionar alguna obra o metodología nueva, surgida en aquél momento como resultado de ese descubrimiento?**

**DR:** Tomamos decisiones radicales y la pintura al óleo desapareció de nuestras instalaciones. Seguimos pintando, pero sólo acuarelas. Estos estudios pasaron a tener paulatinamente un lugar más importante. Se convirtieron en nuestro medio de comunicación y banco de ideas.

Nuestras preocupaciones cambiaron y el trabajo se convirtió como en una reflexión de estos nuevos espacios y los objetos con los que nos relacionábamos. Fue como volver a descubrir el mundo. Nos concentramos en los edificios, utensilios y en casi todo tipo de artefactos producidos por el hombre. Nos interesa mucho la funcionalidad y la capacidad del hombre de adaptar la visualidad de sus objetos en dependencia de las circunstancias.

No pretendemos ser diseñadores pero nuestra propuesta requiere una alta dosis de conocimiento técnico y observación. Últimamente estamos necesitando cada vez más de la colaboración de arquitectos, productores y fabricadores. *Ciudad transportable, Escalera, Torres de vigía, y Piscina llena*, son buenos ejemplos de este proceso.

**MM: Cuando ustedes aceptan una invitación para llevar a cabo un proyecto en residencia, ¿responden al lugar o al sitio de alguna forma**

**MM:** You find the meaning in the contradiction.

**AA:** Right.

**MC:** I think also it has something to do with our personalities. The three of us are funny guys. Maybe you didn't notice, but…

(Laughter)

**MM: I noticed.**

**MC:** When we were really young, Alex was a comedian, I was the class clown and Dago was the funniest guy I had ever met in my life. So the way we communicate also is very humorous.

**MM: Humor often relaxes the viewer so you can get your more serious intentions across.**

**DR:** I think jokes are serious things that are exaggerated, turned up to such a high volume that they are funny. Almost anything… like a stove that's altered into a sofa, that alteration then turns into kind of a joke.

**NS: Taking reality and turning the volume way up – it's also a way of dealing with the stresses and contradictions that are present in Cuban daily life, right?**

**MC:** It's a very Cuban attitude, not only for artists but also for everyone. Very, very Cuban.

en particular? ¿Pueden hablarnos un poco sobre el proceso conceptual y el de colaboración necesarios para desarrollar una idea?

**DR:** El lugar donde va a ir una obra es como un buen postre en una comida…Es el momento de alejarse para ver lo que salió. Los cambios de lugar y dimensiones son cosas a tener en cuenta a la hora de decidirnos a fabricar algo. Nos encanta fabricar obras para lugares específicos, como quien encarga una pizza. Intentamos trabajar de forma tal que el producto sea flexible no sólo en la interpretación, sino flexible a la hora del montaje.

Muchas de las últimas instalaciones que hemos hecho se realizan directamente en la pared del lugar donde van a instalarse, y tienen que adaptarse a la anatomía arquitectónica del sitio. Son planos de supuestos futuros objetos, edificios, etcétera, todos hechos a escala natural. Por ejemplo, ése es el caso de *Construimos el puente para que cruce la gente*, *Prisión*, y *Monumentos de agua*.

**NS: El sentido del humor es un elemento importante en vuestra obra. ¿Cómo evolucionó esta característica, y cómo la trabajan en colaboración?**

**DR:** Eso no está cien por cien controlado. Lo lúdico siempre te sorprende. El chiste, la broma, es algo que no se puede controlar. Uno crea algo, y a veces nos sale cómico.

**AA:** Digamos que tenemos una idea básica, por ejemplo, los caminos (Nota de la Editora: esto se refiere a la obra *Fluido*, instalación creada para la 8va Bienal de La Habana). Uno tiene el camino, pero entonces se te ocurre inflar el camino. Claro está, no hay camino que pueda inflarse. Nosotros siempre vamos contra la corriente. Esa es la base. A partir de la base es que hacemos otras conexiones.

**MM: O sea, que ustedes encuentran el significado en la contradicción misma.**

**AA:** Correcto.

**MC:** Creo que tiene que ver con nuestras personalidades. Los tres somos gente cómica. Quizás ustedes no se han dado cuenta, pero…

(Risas)

**MM: Me dí cuenta.**

**MC:** Cuando éramos muy jóvenes, Alex era el comediante, yo era el payaso de la clase, y Dago es el tipo más cómico que había conocido en mi vida. Por eso, hasta la manera en que nos comunicamos es muy cómica.

**MM: El sentido del humor relaja al espectador y permite que la obra comunique sus intenciones serias mucho mejor.**

**DR:** Pienso que un chiste es un asunto serio que se exagera, un asunto al que se le sube el volumen tanto que se convierte en algo cómico. Casi todo es susceptible a ese proceso… como si convirtiéramos un fogón en sofá, por ejemplo. La alteración se convierte en una especie de broma.

**NS: Eso de tomar la realidad y subirle el volumen al máximo, también es una forma de lidiar con la tensión y las contradicciones que conlleva la cotidianidad cubana hoy día, ¿no es cierto?**

**MC:** Es una actitud muy cubana, no solo de los artistas, sino de todo el mundo. Muy, pero muy cubana.

# BIOGRAPHIES          BIOGRAFÍAS

Los Carpinteros (left to right: Alexandre Arrechea, Dagoberto Rodríguez, Marco Castillo) installing *Presidio*, Museum of Modern Art, New York, 2001.
Los Carpinteros (izquierda a derecha: Alexandre Arrechea, Dagoberto Rodríguez, Marco Castillo) installando *Presidio*, Museo de Arte Contemporáneo, Nueva York, 2001.
*Imagen cortesia del artista / Image courtesy of the artist*

## LOS CARPINTEROS

**Alexandre Jesús Arrechea Zambrano** (Cuba, 1970)
Graduate from the Superior Art Institute of Havana, 1994
Graduado del Instituto Superior de Arte, La Habana, 1994

**Marco Antonio Castillo Valdés** (Cuba, 1971)
Graduate from the Superior Art Institute of Havana, 1995
Graduado del Instituto Superior de Arte, La Habana, 1995

**Dagoberto Rodríguez Sanchez** (Cuba, 1969)
Graduate from the Superior Art Institute of Havana, 1994
Graduado del Instituto Superior de Arte, La Habana, 1994

Los Carpinteros live and work in Havana.
Los Carpinteros viven y trabajan en La Habana.

## Selected Solo Exhibitions

**2003**  *Novos Desenhos* [August 14-September 13], Galeria Fortes Vilaça, São Paulo, Brasil

**2002**  Artists in residence, The Baltic Center for Contemporary Art, New Castle, England
*Ciudad Transportable,* Contemporary Art Museum of Hawaii, Honolulu, Hawaii

**2001**  *Tuneles Populares,* Palacio de Abrahante, Salamanca, Spain
*Los Carpinteros,* Galeria Camargo Vilaça, São Paulo, Brasil
*Ciudad Transportable,* PS1 Contemporary Art Center, New York, USA
*Los Carpinteros,* Grant Selwyn Fine Art, Los Angeles, CA, USA
*Ciudad Transportable,* Los Angeles County Museum of Art, Los Angeles, CA, USA
*Los Carpinteros,* San Francisco Art Institute,  San Francisco, CA, USA

**2000**  *Los Carpinteros,* Grant Selwyn Fine Art, Los Angeles, CA, USA

**1999**  *Tania Bruguera/Los Carpinteros,* Vera Van Laer Galerie, Antwerp, Belgium

**1998**  Parque Ferial Juan Carlos I, *Los Carpinteros. Project Room. Feria Internacional de Arte Contemporáneo*
        *ARCO'98* Madrid, Spain
Galería Habana, *Mecánica Popular,* Havana, Cuba
Ludwig Forum für Internationale Kunst, *Los Carpinteros,* Aachen, Kunsthalle, Berlin, Germany
*Bili Bidjocka/Los Carpinteros/Rivane Neuenschwander,* The New Museum of Contemporary Art, New York, USA
*Los Carpinteros* [October 23-November 25], Iturralde Gallery, Los Angeles, California, USA

**1997**  *Construimos el puente para que cruce la gente, construimos paredes para que el sol no llegue* [March 14], Galería
        Angel Romero, Madrid, Spain
*Viejos métodos para nuevas deudas* [May-June], Convento de San Francisco de Asís, Havana, Cuba
*Los Carpinteros/Carlos Estévez/Offill Industrial* [September], Galería Nina Menocal, Mexico City, México

**1996**  *Todo ha sido reducido a la mitad del original* [December], Castillo de los Tres Reyes del Morro, Havana, Cuba

**1995**  *Los Carpinteros. Obra Reciente* [February-April], Galería Angel Romero, Madrid, Spain
*Se vende tierra de Cuba* [October 16-22], L'Entrepot Pour Matériel Pharmaceutique, Nantes, France
        (not shown due to cancellation of *Les Allumées Nantes-La Havanne,* 1995 Festival)
*Ingeniería Civil,* Galería Habana, Havana, Cuba

**1992**  *Arte-sano [Fernando Rodríguez Falcón/Alexandre Arrechea/Dagoberto Rodríguez],* Casa del Joven Creador,
        Havana, Cuba
*No sitios pintados,* Galería Arte 7, Complejo Cultural Cinematográfico Yara, Havana, Cuba
*Pintura de Caballete,* Centro de Arte 23 y 12, Havana, Cuba

**1991**  *Para Usted* [January], Fábrica de Tabacos Partagás, Havana, Cuba

## Selected Group Exhibitions

**2003**   *Stretch* [June 20-September 1], The Power Plant Contemporary Art Gallery, Toronto, Canada
*Kaap Helder* [June 5-August 3], Oude Rijkswerf Willemsoord (ORW), Den Helder, Holland
*Sentido Común* [March ], Habana Gallery, La Habana, Cuba
*Dreamspaces – Entresueños* [February 20-April 20], Deutsche Bank Lobby Gallery, New York, USA
*Rest in Space*, Kunstlerhaus Bethanien, Berlin Germany

**2002**   *Shanghai Biennale*, Shanghai Art Museum, Shanghai, China
*Drawing Now: Eight Propositions*, Museum of Modern Art, New York, NY, USA
*Rest in Space*, Kunstnernes Hus, Oslo, Norway
*Dwelling Project*, Gallery Optica, Montreal, Canada
*With Eyes of Stone and Water*, Helsinki Art Museum, Helsinki, Finland
*The 25th Bienal de São Paulo*, São Paulo, Brazil
*Bienalisa* (collateral to la *Tercera Bienal de La Habana*) [November-December], Galería "El Pasillo",
    Instituto Superior de Arte (ISA), Havana, Cuba

**2001**   *Valencia*. [May-June], Valencia, Spain

**2000**   *Playground & Toys. An International Project for Art for the World*, Geneva/Hendrik Christian Andersen
    Museum, Rome / New York (traveling show)
*7 Bienal de La Habana*, Fortaleza de la Cabaña [November 17/2000-January 5/2001], Havana, Cuba

**1999**   *Arte Cubano, Obra sobre papel*, Centro Cultural Conde Duque, Madrid, Spain

**1998**   *Trasatlántico* [April 14-June 14], Centro Atlántico de Arte Moderno (CAAM), Las Palmas de Gran
    Canaria, Spain
*El jardín de los senderos que se bifurcan/The Garden of Forking Paths* [April 25-June 14], Kunstforeningen,
    Copenhagen, Denmark/ [January-April/1999], Nordjyllands Kunstmuseum, Aalborg,
    Denmark/ [April-July], Edsvik Konst & Kultur, Sollentuna, Sweden/ [August-October],
    Helsinki City Art Museum, Helsinki, Finland
*The Edge of Awareness* [May 10-July 12/1998], WHO's Headquarters, Geneva, Switzerland
    [September 13-October 15/1998], PS1, New York, U.S.A./ [December 7/1998-January 30/1999],
    SESC de Pompeia, São Paulo, Brazil/ [March 4-22/1999], New Delhi, India/ [Octobre 13-31/1999],
    Triennale di Milano, Milan, Italy
*CRIA's Latin Art Sale* [May 29], Generous Miracles Gallery, New York, USA
*Caribe Insular. Exclusión, Fragmentación y Paraíso* [June 19-September 25], Museo Extremeño e
    Iberoamericano de Arte Contemporáneo, Badajoz/ [September 30-November 8], Casa de
    América, Madrid, Spain
*Barro de América. III Bienal Latinoamericana de Arte* [July 9-September 26], Museo de Bellas Artes,
    Caracas, Venezuela
*La Dirección de la mirada* [September 1-October 30], Stadhaus, Zurich/ [November 7-January 3/1999],
    Musée de Beaux Arts, La Chaux-des-Fonds, Switzerland

*Contemporary Art from Cuba: Irony and Survival on the Utopian Island* [September 26-December 13], Arizona
State University. ASU Art Museum, Tempe, Arizona/ [January-March/1999], Yerba Buena
Center for the Arts, San Francisco, California, USA/ [May 19-July 14/2001], Contemporary Art
Museum, University of South Florida, Tampa, Florida, USA

1997    *Feria Internacional de Arte Contemporáneo ARCO'97* [February 13-18], Parque Ferial Juan Carlos I, Madrid, Spain
*New Art from Cuba: Utopian Territories* [March 22-May 25], Morris and Helen Belkin Art Gallery/
National Gallery, Vancouver, Canada
*The Rest of the World* [April-July], Haus der Kulturen der Welt, Berlin, Germany
*Zona Vedada* [May-June], Residencia privada, Calle 8 y 13, Vedado, Havana, Cuba
*Arte y Ciudad. Festival Internacional de Arte* [June], Museo de Arte Moderno, Medellin, Colombia
*Así está la cosa. Instalación y arte objeto en América Latina* [July 25-October 20], Centro Cultural Arte
Contemporáneo A.C., Mexico City, México
*Trade Routes. Africus 97. 2nd Johannesburg Biennale* [October 12/1997-January 18/1998], Africus Institute
for Contemporary Art (AICA), Johannesburg, South Africa
*El arte que no cesa* [December 26/1997-January/1998], Centro Wifredo Lam, Havana, Cuba

1996    *Feria Internacional de Arte Contemporáneo Arco'96* [February 8-13], Pabellón de Cristal, Madrid, Spain
*Mundo Soñado. Joven Plástica Cubana* [February-March], Casa de América, Madrid, Spain
*Río Almendares. Ni fresa, ni chocolate* [April], Centro de Conservación, Restauración y Museología
(CENCREM), Havana, Cuba
*Domestic Partnerships: New Impulses in Decorative Arts from the Americas* [April 26-June 29], Art in General,
New York, USA
*A Dentro/A Fuera: New Work from Cuba* [August 29-October 6], Walter Phillis Gallery, Banff Centre for
the Arts, Alberta, Canada
*El cine por la plástica* [December], Galería Juan David, Complejo Cultural Yara, Havana, Cuba
*Family. Nation. Tribe. Community. Shift.* Haus der Kulturen der Welt, Berlin, Germany

1995    *New Art from Cuba* [February 24-April 23], Whitechapel Art Gallery, London/ [May 6-June 25], Tullie
House Museum and Art Gallery, Carlisle, Cumbria, UK
*Havanna/Sâo Paulo. Junge Kunst aus Lateinamerika* [March 23-June 5], Haus der Kulturen der Welt,
Berlin, Germany
*Una de Cada Clase. Fundación Ludwig de Cuba* [March 26], Centro de Conservación, Restauración y
Museología (CENCREM), Havana, Cuba
*Novísimos Artistas Cubanos. Jornadas Culturales de Cuba en México* [June], Casa del Lago, Antiguo Bosque
de Chapultepec, Mexico City, México.
*El Oficio del Arte* [November 16], Centro de Desarrollo de las Artes Visuales, Havana, Cuba

1994    *Paisajes* [January-February], Galería La Acacia, Havana, Cuba
*Utopía* [February 11-March 4], Galería Espada, Casa del Joven Creador, Havana, Cuba
*Artistas cubanos invitados a la Quinta Bienal de La Habana 1994* [April], Centro Wifredo Lam, Havana, Cuba
*Multimedios* (collateral to la *Quinta Bienal de La Habana*) [April-July], Galería Plaza Vieja, Fondo Cubano
de Bienes Culturales, Havana, Cuba

*Quinta Bienal de La Habana* [May 7-June 30], Museo de la Educación, Havana, Cuba
*Die 5 Biennale von Havana (Fifth Biennial of Havana. Selection)* [September 15-December 11], Ludwig Forum
        für Internationale Kunst, Aachen, Germany
*Nuevas Adquisiones*, Museo Nacional de Bellas Artes, Havana, Cuba
*Subasta*, Centro Wifredo Lam, Havana, Cuba
*XI Bienal Internacional de Arte Valparaíso*, Galería Municipal de Arte, Valparaíso, Chile

**1993**    *Las metáforas del templo* [February], Centro de Desarrollo de las Artes Visuales, Havana, Cuba
         *Nacido en Cuba*, Centro Cultural Mexiquense, Ex Hacienda La Pila, Toluca, Estado de México, México

**1992**    *Cambio de Bola*, Galería Habana, Havana, Cuba

**1991**    *Miss Expo* [April], Galería "El Pasillo", Instituto Superior de Arte (ISA), La Habana, Cuba
         *Si TIM tiene TIM vale* (collateral to la *Cuarta Bienal de La Habana*) [November], Galería "El Pasillo",
                Instituto Superior de Arte (ISA), Havana, Cuba
         *Expreso ISA*, Galería de la Escuela Nacional de Arte, Havana, Cuba
         *Gala del ISA*, Teatro Nacional de Cuba, Havana, Cuba

**1990**    *El Objeto Esculturado* [May-July], Centro de Desarrollo de las Artes Visuales, Havana, Cuba

## Awards

**2000**    Prize. *Fomento de las Artes, UNESCO, 7ma Bienal de La Habana*, Cuba

**1997**    First Prize, Contemporary Art - People's Award, *El Mundo* Magazine, Argentaria Foundation. ARCO Fair

**1995-6**  Endowment. Departamento de Exposiciones y Colecciones, Ministerio de Cultura Español, Madrid, SPAIN

## Collections

Arizona State University, ASU Art Museum, Arizona, USA
Centro de Arte Contemporáneo Reina Sofía, Madrid, Spain
Centro Cultural Arte Contemporáneo A.C., Mexico City, México
Daros Collection, Zurich, Switzerland
Fundación ARCO, Museo Galego de Arte Contemporáneo, Spain
Los Angeles County Museum of Art, LACMA, Los Angeles, California, USA
Ludwig Forum für Internationale Kunst, Aachen, Germany
Museum of Contemporary Art, MOCA, Los Angeles, California, USA
Museum of Modern Art, MOMA, New York, USA
Museo Nacional de Bellas Artes, Havana, Cuba
Museo Extremeño e Iberoamericano de Arte Contemporáneo MEIAC, Badajoz, Spain

San Diego Art Museum, San Diego, California, USA
Thyssen-Bornemisza Contemporary Art Foundation, Vienna, Austria
Ulrich Museum, Wichita State University, Kansas, USA
University of California at Santa Barbara Museum, CA, USA
Fredrick Weissman Foundation Beverly Hills, CA, USA
Cincinnati Museum of Contemporary Art Cincinnati, OH, USA

**Bibliography**

**2001** Cembalest, Robin. "Where Rube Goldberg Meets Kafka," *Artnews*, New York, pp. 150-51 [illus.],
U.S.A., February, 2001.
Cheng, Scarlet. "Have City, Will Travel the Earth," *Los Angeles Times*, Los Angeles, pp. 53-54 [illus.],
U.S.A., September 23, 2001.
Israel, Nico. "VII Bienal de la Habana," *Artforum*, New York, U.S.A. February, 2001.
Sirmans, Franklin. "A Mythical Metropolis Materializes in Queens," *New York Times*, New York [illus.],
U.S.A., May 20, 2001.
Yablonsky, Linda. "Pitching their tents," *Time Out*, New York, pp. 81 [illus.], U.S.A., May 31- June 7, 2001.
Arte y Parte. Revista de España Portugal e Iberoamerica, No31, febrero-marzo 2001.

**2000** Atlántica. Revista de arte y pensamiento, No 27, otoño 2000. "*tuneles populares*", un projecto para Atlántica.

**1999** Anselmi, Inés. "Entrevista con Los Carpinteros," cat. *La Dirección de la Mirada. Arte Actual de Cuba*,
Stadthaus, Zurich, September 2-October 30, 1998/Musée des Beaux- Arts de La Chaux-de
Fonds, Switzerland, November 8/1998-January 3/1999.
Lowinger, Rosa. "The Object as Protagonist. An Interview with Los Carpinteros," *Sculpture*, New York,
Vol.18, No.10, pp. 24-31 [illus], December, 1999.
Muchnic, Suzanne. "Los Carpinteros," *ArtNews*, New York [illus.], USA, January, 1999.
Stork, David. "InFIDELs," *Detour*, Los Angeles, U.S.A., [illus.], February, 1999.
Vives Gutierrez, María Cristina. "Art contemporain, pas précisément cubain/Contemporary (Not
Exactly Cuban) Art," *ArtPress*, Paris, No.249, pp. 34-39 [illus.], France, September, 1999.
West, Judy. "Los Carpinteros," *Artnews*, New York, p. 132 [illus.], USA, January, 1999.

**1998** "The Cubans Are Coming," *ArtNews*, New York, p. 139 [illus.], USA, September 1998.
Batet, Janet. "Los Carpinteros. Mecánica popular," *Arte Cubano*, Havana, No.2, pp. 68-69 [illus.], Cuba, 1998.
Becker, Wolfgang. cat. *Los Carpinteros. Provisorische Utopien*, Ludwig Forum für Internationale Kunst,
Aachen, Germany, May 17-July 26 [illus.], 1998.
Cameron, Dan. "Estatement Regarding the Acquisitions for ARCO Foundation 1998," *Arco Noticias*,
Madrid, No.11, p. 30, Spain, May, 1998.
Cameron, Dan. cat. *Bili Bidjocka/Los Carpinteros/Rivane Neuenschwander*. The New Museum of
Contemporary Art, New York [illus.], [brochure], USA, June 18-September 20, 1998.
Castellano Leon, Israel. "Mecánica Popular," *Juventud Rebelde*, Havana, Cuba, May 10, 1998.

Fernandez Rodriguez, Antonio Eligio (TONEL). "A Tree from Many Shores: Cuban Art in Movement," *Art Journal*, New York, Vol.57, No.4, pp. 62-73 [illus.], U.S.A., Winter, 1998.

Fernandez Torres, Jorge. "Todo ha sido reducido a la representación," *Arte Cubano*, Havana [illus.], Cuba, 1998.

Fortes, Márcia. "'Bili Bidjocka, Los Carpinteros, Rivane Neuenschwander,' New Museum of Contemporary Art, New York". *Frieze*, London, No.42, pp. 101-102 [illus.], U.K., July, 1998.

Hudson, Peter. "Lord, We have lost everything," *Mix*, Toronto, Volume 23, No. 4, p. 64 and cover [illus.], Canada, Spring, 1998.

Mena, Abelardo. "Mecánica Popular: Exposición de Los Carpinteros," *Noticias de Arte*, New York, No.264, pp. 22-23 [illus.], USA, Summer, 1998.

Ollman, Leah. "Los Carpinteros Collaborate on Witty Works. From Cuba, Artists Speak the Language of Absurdity," *Los Angeles Times*, Los Angeles, California, U.S.A., [illus.], November 6, 1998.

Valdes Figueroa, Eugenio. "Desde el umbral de lo posible," cat. *Los Carpinteros. Provisorische Utopien*, Ludwig Forum für Internationale Kunst, Aachen, pp. 5-19 [illus.], Germany, May 17-July 26, 1998.

**1997**   "Los Carpinteros: manos sabias," *Tribuna Hispana*, Madrid, p. 23 [illus.], Spain, March 1997.

Auerbach, Ruth. "Sexta Bienal de La Habana. La rebelión de las contradicciones," *Estilo*, Caracas, Year 8, No.32, p. 62 [illus.], Venezuela, 1997.

Castaño, Adolfo. "Trabajo de Carpinteros," *ABC Cultural*, Madrid, No.282, p. 24 [illus.], Spain, March 28, 1997.

E.V. "Los Carpinteros," *Arte y Parte*, Madrid, No.8, p. 132 [illus.], Spain, April-May, 1997.

Laurence, Robin. "Young Cubans Subtly Subversive," *The Georgia Straight*, pp. 53-54 [illus.], Canada, March 27-April 3, 1997.

Laurence, Robin. "Territorial Declaratives," *Border Crossings*, Vancouver, pp. 51-53 [illus.], Canada, Spring, 1997.

MacMasters, Merry. "Rompen cubanos el mito del arte dentro y fuera de la isla," *La Jornada*, México City, p. 30, México, September 2, 1997.

Pozo, Alejandra. "Cuba le dio una mano a ARCO," *Estilo*, Caracas, Year 8, No.31, p. 91 [illus.], Venezuela, 1997.

Pozo, Alejandra. "La Habana mayo de 1997. Arte Off-icial," *Estilo*, Caracas, Year 8, No.32, p. 65 [illus.], Venezuela, 1997.

Valdes Figueroa, Eugenio. "Art in Cuba. The Mask: Utopia and Ideology," *Flash Art*, New York, pp. 53-55 [illus.], U.S.A., January-February, 1997.

**1996**   "Cubanos en Nueva York," *Artecubano, Revista de Artes Visuales*, Havana, No.2 [illus.], p. 85, 1996.

Borras, María Lluïsa. "Breve panorama de la pintura cubana," cat. *Cuba Siglo XX. Modernidad y Sincretismo*, Ed. Centro Atlántico de Arte Moderno, Las Palmas de Gran Canaria, p. 39, Spain, 1996.

Garcia Gonzales, Francisco. Havana [unpublished text], 4 pp., Cuba, November, 1996.

Hollander, Kurt. "La Bienal de La Habana," *Poliester*, Mexico City, Vol.15, No.16, México, 1996.

Mosquera Fernandez, Gerardo. "Postmodernidad. Arte y política en América Latina," *Art Nexus*, Bogota, No. 68, [illus.], Colombia, 1996.

Oliva Achille, Bonito. "Trópico de la vanguardia," *Diario 16*, Madrid, Spain, February 3, 1996/"Tropico dell'Avanguardia". *Espresso*, Italy, January, 1996.

Stellweg, Carla. "Domestic Partnerships, Sociedad Doméstica?," cat. *Domestic Partnerships. New Impulses in Decorative Arts from the Americas*, Art in General, New York [illus.], [brochure], U.S.A., April 26-June 29, 1996.

Valdes Figueroa, Eugenio. "El arte de la negociación y el espacio del juego. El coito interrupto del arte cubano contemporáneo," cat. *Cuba Siglo XX. Modernidad y Sincretismo*, Ed. Centro Atlántico de Arte Moderno, Las Palmas de Gran Canaria, pp. 95,101,104 [illus.], Spain, 1996.

**1995**  Alvarez, Guadalupe. "Oposición y Defensa. Tesis del grupo Los Carpinteros," *Loquevenga. Revista de Artes Visuales*, Havana, Year 2, No.1, pp. 17-19 [illus.], Cuba, 1995.

Batet, Janet. "En pos de una era cínica?," *Loquevenga. Revista de Artes Visuales*, Havana, Year 2, No.1, pp. 15-16 [illus.], Cuba, 1995.

Castaño, Adolfo. "Los tres carpinteros," *ABC Cultural*, Madrid, No.177, p. 28 [illus.], Spain, March 24, 1995.

Feaver, William. "Relics of Revolutions," *The Observer*, London, U.K., March 5, 1995.

Fernandez Rodriguez, Antonio Eligio (TONEL). "Los Carpinteros," cat. *New Art from Cuba*. Whitechapel Art Gallery, London, unpaginated brochure [illus.], U.K., February 24-April 23, 1995.

Kent, Sarah. "Cuban Heal," *Time-Out*, [illus.], London, U.K., March 22-29, 1995.

Reyes Laborde, César. "La malahierba. Artistas jóvenes de Cuba," *El Nuevo Día*, San Juan, pp. 12-15 [illus.], Puerto Rico, May 14, 1995.

Sanders, Mark. "Cuba Confronted," *What's On*, London, U.K., [illus.], March 15, 1995.

Sullivan, Edward J. "Cartas de Londres," *Art Nexus*, Bogota, No.17, pp. 18-19 [illus.], Colombia, July-September, 1995.

**1994**  Caballero Mora, Rufo. "Los recuerdos del cómplice," *Revolución y Cultura*, Havana, No.3, pp. 10-18 [illus.], Cuba, 1994.

Cameron, Dan. "Cuba: Still Not Libre," *Art & Auction*, New York, Vol.XVI, No.8, pp. 86-91 [illus.], U.S.A., March, 1994.

Camnitzer, Luis. *New Art of Cuba*, Ed. University of Texas Press: Austin, Austin, Texas, p. 327 [illus.], USA, 1994. (on the work of Marco Castillo)

Cazalla, Jana. "Quinta Bienal de La Habana. Encuentros en la periferia". *Lápiz*, Madrid, Year XII, No.106, pp. 77-78,81 [illus.], Spain, 1994.

Doswald, Christoph. "The Cuban Art Crisis," *WorldArt. The Magazine of Contemporary Visual Arts*, New York [illus.], USA, November, 1994.

Hollander, Kurt. "Report From Cuba. Art, Emigration and Tourism," *Art in America*, New York, No.10, pp. 41-47 [illus.], USA, October, 1994.

Izquierdo Gonzales, Madelíne. "Las razones del poder y el poder de las razones," *Proposiciones*, La Habana, Year I, No.1, pp. 44-59 [illus.], Cuba, 1994.

Medina, Cuauhtémoc. "Lo real Habana," *Curare. Suplemento de La Jornada*, Mexico City, pp. 12-13 [illus.], México, June 4, 1994.

**1993**  Izquierdo Gonzales, Madelíne. "Viñetas críticas sobre algunas obras de los participantes en la exposición Las metáforas del templo," *Arte. Proyectos e Ideas*, Universidad Politécnica de Valencia, Valencia, Year I, No.1, p. 181 [illus.], Spain, April, 1993.

Mosquera Fernandez, Gerardo. "Los Hijos de Guillermo Tell," *Poliester*, Mexico City, No.4, pp. 18-27 [illus.], México, Winter, 1993.

1992    "Nova arte cubana". *Gazeta do Povo*, Curitiba, Sección Cultura G, p. 20, Brazil, 1992.

Camnitzer, Luis. "La IV Bienal de La Habana," *Arte en Colombia*, Bogota, No.50, p.107, Colombia, April, 1992.

Izquierdo Gonzales, Madelíne. cat. *Arte-Sano [Dagoberto Rodríguez, Alexandre Arrechea, Fernando Rodríguez Falcón]*, Casa del Joven Creador, Havana [hand made print], unpaginated, Cuba, 1992.

## Other Publications

"Acerca del café o la construcción de una utopía". *Los Cuadernos del Gusto de Maurizio Cannavacciuolo*, No.12 [illus.], 1998, Italy.

"Artistas cubanos invitados a la Bienal". *Revolución y Cultura*, No.3, pp. 53-60, 1994, Havana, Cuba. (reproductions)

"Project Rooms. Zona de impacto". *Metrópoli. Suplemento de El Mundo, Especial ARCO*, February, 1998 [illus.], p. 7, Madrid, Spain.

## Contributors Biographies

### Corina Matamoros Tuma

Corina Matamoros Tuma holds a degree in art history from the School of Philology, University of Havana, and a Special Degree in Museum Studies from the Louvre School, Paris. She has worked at Cuba's National Museum of Fine Arts since 1978, the entire span of her professional career. In 1985 she curated *De lo contemporáneo* (From the Contemporary), a show wherein she delved into the relationship between art and science in the works of José Bedia, José Manuel Fors, Ricardo Rodríguez and Gustavo Pérez Monzón. In 1989 she organized the important retrospective of Raúl Martínez's work, titled *Nosotros* (We). She headed the museum's education department until 1989; that year she was appointed the museum's assistant technical director. In 1991 she curated *Nuevas adquisiciones contemporáneas: Muestra de arte cubano* (Recent Contemporary Acquisitions: Cuban Art), an exhibition that highlighted for the first time the thematic affinities between contemporary Cuban masters and younger artists from the '80s and '90s generations. In 1992 she was appointed curator of the collection of emerging art at the museum, and in that capacity has increased the museum's holding of contemporary Cuban art. The 2000 exhibition *La gente en casa* (People at Home), and the preparation of the permanent exhibits of '80s and '90s art for the 2001 re-opening of the National Museum, are among her most important curatorial accomplishments. She has published numerous articles about art, museum studies, and collecting.

### Laura Hoptman

Laura Hoptman is the Curator of Contemporary Art at Carnegie Museum of Art, a position that includes the organization of the 2004 Carnegie International exhibition. Previous to her appointment, she was Assistant Curator of Drawings at The Museum of Modern Art in New York where she organized numerous exhibitions including *Drawing Now: Eight Propositions* (2002); *Greater New York* (with Carolyn Christov Barkegiev, Paolo Herkenhoff, Deborah Wye) (2001); *Useless Science* (2000); *Love Forever: Yayoi Kusama* (with Lynn Zelvansky) (1998); *Projects 60: Currin, Peyton, Tuymans* (1997); *Drawing on Chance* (1997); and one-artist projects with Rirkrit Tiravanija, Maurizio Cattelan, John Bock and Ricci Albenda. In addition to *Drawing Now:*

### Corina Matamoros Tuma

Corina Matamoros Tuma es Licenciada en Historia del Arte de la Facultad de Filología, Universidad de La Habana, y obtiene el Diploma Especial de Museología de la Escuela del Louvre, Paris. Ha trabajado en el Museo Nacional de Bellas Artes desde 1978, institución a la que ha dedicado toda su vida laboral. En 1985 cura para el Museo Nacional la muestra *De lo Contemporáneo*, donde estudia la relación del arte y la ciencia en las obras de José Bedia, José Manuel Fors, Ricardo Rodríguez Brey y Gustavo Pérez Monzón. En 1989 prepara la gran retrospectiva de Raúl Martínez, *Nosostros*. Durante varios años está al frente del Dpto. de Servicios Educacionales, hasta que en 1989 es nombrada Subdirector Técnico del Museo Nacional. En 1991 hace la curaduría de la exposición *Nuevas Adquisiciones Contemporáneas: Muestra de Arte Cubano*, donde se exhiben por primera vez las afinidades de sentido entre los maestros contemporáneos cubanos y los jóvenes artistas de los 80 y los 90. A partir de 1992 se ocupa de lleno de la colección de arte más joven del Museo en calidad de Curador y con su trabajo logra acrecentar particularmente la colección patrimonial de arte cubano contemporáneo. Entre sus curadurías más importantes están, además, *La gente en casa* (noviembre 2000), y sobre todo, las salas permanentes del arte cubano de los años 80 y 90 para la reinstalación del Museo Nacional en el 2001. Tiene una veintena de artículos publicados sobre arte, museología y coleccionismo.

### Laura Hoptman

Laura Hoptman es curadora de arte contemporáneo del Museo de Arte Carnegie, cargo que conlleva la responsabilidad de organizar la exposición *Carnegie International 2004*. Previo a su nombramiento en el Carnegie, Hoptman fungió como curadora adjunta de la colección de dibujos del Museo de Arte Moderno de Nueva York, donde organizó varias exposiciones, tales como *Drawing Now: Eight Propositions* [El Dibujo Hoy: Ocho Propuestas] (2002); *Greater New York* [Toda Nueva York] con Carolyn Christov Barkegiev, Paolo Herkenhoff y Deborah Wye (2001); *Useless Science* [Ciencia Inútil] (2000); *Love Forever: Yayoi Kusama* [Amor para Siempre: Yayoi Kusama] con Lynn Zelvansky (1988); *Projects 60:* [Proyectos 60] *Currin, Peyton, Tuymans* (1997); y *Drawing on Chance* [Dibujo al Azar] (1997). También organizó

*Eight Propositions*, a book published in conjunction with the exhibition, she is the co-editor of *Primary Documents: An Anthology of Art Criticism from East and Central Europe, 1950-2000* (2002, MIT Press) and *Yayoi Kusama* (2001, Phaidon Press). She is a frequent contributor to *Parkett*, *Frieze*, and other art publications.

## Lilian Tone

Lilian Tone is assistant curator in the Department of Painting and Sculpture, at The Museum of Modern Art, New York. She holds a BA from the Law School, University of São Paulo; a BA from Fine Arts College, Armando Alvares Penteado Foundation, São Paulo, Brazil; and an MA from the Graduate School and University Center, Ph.D. Program in Art History, City University of New York. She holds a teaching position at the Center for Curatorial Studies, Bard College, Annandale-on-Hudson. For The Museum of Modern Art, she has curated the exhibitions *Strangely Familiar* (2003), *Actual Size* (2000) and *White Spectrum* (2000); and curated or co-curated projects with General Idea, William Kentridge, Cai Guo-Qiang, Karin Davie, Udomsak Krisamanis, Bruce Pearson, Fred Tomaselli, Fred Wilson, Allan McCollum, John Armleder and Piotr Uklanski. Tone's published work includes articles and numerous exhibition catalogues.

## Margaret Miller

Margaret Miller is the Director of the University of South Florida Institute for Research in Art: Contemporary Art Museum and Graphicstudio; a Professor of Art with over thirty years of experience teaching contemporary art and museum studies; and a curator whose work includes numerous exhibitions and commissioned projects with such artists as: Vito Acconci, Alice Aycock, Jim Campbell, James Casebere, Maurizio Cattelan, Wim Delvoye, Keith Edmier, Peter Fischli and David Weiss, Atelier van Lieshout, Los Carpinteros, Allan McCollum, Matt Mullican, Vik Muniz, Roxy Paine, Judy Pfaff, James Rosenquist, Ed Ruscha, Richard Tuttle and Peter Weibel. Recent exhibitions she has curated include: *Use of Evidence* (1995), a two-person exhibition with Emil Lukas and Fabian Marcaccio for the Contemporary Art Museum, University of South Florida; *Active Ingredients* (2001), co-curated with Amy Cappellazzo for COPIA, Napa, California; and Allan McCollum's *The Event: Petrified Lightning from Central Florida, With Supplemental Didactics* (1998), co-curated with Jade

proyectos individuales con los artistas Rirkrit Tiravanija, Maurizio Cattelan, John Bock y Ricci Albenda. Es autora de *Drawing Now: Eight Propositions*, libro que acompañó la exposición homóloga, y también fue co-editora de *Primary Documents: An Anthology of Art Criticism from East and Central Europe, 1950-2000* [Documentos primarios: Antología de crítica de arte de Europa Central y Oriental, 1950-2000] (2002 Editorial MIT Press), y es autora del libro *Yayoi Kusama* (2001, Editorial Phaidon Press). Hoptman escribe con frecuencia para *Parkett*, *Frieze*, y otras publicaciones de arte.

## Lilian Tone

Lilian Tone es curadora adjunta del departamento de pintura y escultura del Museo de Arte Moderno de Nueva York. Egresada de la Escuela de Derecho de la Universidad de São Paulo, y licenciada de la Facultad de Bellas Artes, Fundación Armando Alvares Penteado en São Paulo, Brasil, también se recibió con una Maestría en Arte del *Graduate School and University Center*, Programa Doctoral en Historia del Arte, de la Universidad de la Ciudad de Nueva York (CUNY). Es profesora del Centro de Estudios Curatoriales de *Bard College*, en Annandale-on-Hudson. Como curadora adjunta del Museo de Arte Moderno de Nueva York ha organizado las siguientes exhibiciones: *Strangely Familiar* (2000), *Actual Size* (2000), y *White Specturm* (2000); y ha fungido de curadora o curadora adjunta de proyectos realizados con General Idea, William Kentridge, Cai Guo-Qiang, Karin Davie, Udomsak Krisamanis, Bruce Pearson, Fred Tomaselli, Fred Wilson, Allan McCollum, John Armleder y Piotr Uklanski. Tone tiene en su haber diversas publicaciones que incluyen artículos y numerosos catálogos de exhibiciones.

## Margaret Miller

Margaret Miller es directora del *Institute for Research in Art*, que compone el Museo de Arte Contemporáneo y *Graphicstudio*, de la Universidad del Sur de la Florida en Tampa. Como profesora de arte, lleva más de treinta años enseñando arte contemporáneo y museología. Miller también es curadora professional, y tiene en su haber un sinnúmero de exposiciones y proyectos que ha comisionado, con artistas como Vito Acconci, Alice Aycock, Jim Campbell, James Casebere, Maurizio Cattelan, Wim Delvoye, Keith Edmier, Peter Fischli y David Weiss, Atelier van Lieshout, Los Carpinteros, Allan

Dellinger in collaboration with the Museum of Science and Industry, Tampa. *(re)Mediation: The Digital in Contemporary American Printmaking* (1997), co-curated with Jade Dellinger, was selected by the United States Information Agency as the American entry to the 22nd Ljubljana Graphics Biennial in Slovenia.

## Noel Smith

Noel Smith is Curator of Education at Graphicstudio / Institute for Research in Art. She holds an M.A. in Art History from the University of South Florida with a specialty in photography and printmaking. At Graphicstudio, she develops and oversees educational outreach programs including lectures, classes, symposia, exhibitions and publications, and collaborates extensively with artists from Latin America and the Caribbean. She is currently working on the new opera "The Death of Caturla," with composer James Lewis.

## Ileana Fuentes

Ileana Fuentes is a feminist author, cultural critic and translator. Her writings have appeared in journals and anthologies. A former director of the Cuban Museum of Art and Culture (US), she is co-author of *Outside Cuba: Contemporary Cuban Artists* (New Brunswick: Rutgers University and Miami: University of Miami, 1989).

McCollum, Matt Mullican, Vik Muniz, Roxy Paine, Judy Pfaff, James Rosenquist, Ed Ruscha, Richard Tuttle y Peter Weibel. En años recientes ha curado, entre otras, las siguientes exposiciones: la muestra conjunta de los artistas Emil Lukas y Fabian Marcaccio, para el Museo de Arte Contemporáneo de la Universidad del Sur de la Florida, en 1995; *Active Ingredients* (Ingredientes activos) en 2001, co-curado con Amy Cappellazzo para COPIA, Napa, California; Alan McCollum's *The Event: Petrified Lightning from Central Florida, With Supplemental Didactics* (El Evento: Relámpagos petrificados del centro de la Florida, con didácticos adicionales) en 1998, co-curado con Jade Dellinger, y en colaboración con el Museo de Ciencias e Industrias en Tampa. *(re)Mediation: The Digital in Contemporary American Printmaking* [(re)Mediación: Lo digital en el grabado norteamericano contemporáneo] en 1997, co-curado con Jade Dellinger, fue escogido por La Agencia de Información de Estados Unidos *(United States Information Agency)* para la participación de Estados Unidos en la 22[da] Bienal de Gráfica Ljubljana, en Eslovenia.

## Noel Smith

Noel Smith es curadora de docencia del *Graphicsutido | Institute for Research in Art* de la Universidad del Sur de la Florida, Tampa. Smith es egresada de dicha institución, donde obtuvo su maestría en historia del arte, con especialidad en fotografía y grabado. En su capacidad docente en *Graphicsutido*, Smith desarrolla y supervisa programas que incluyen charlas, clases, simposia, exposiciones y publicaciones. También colabora extensamente con artistas latinoamericanos y del Caribe. En la actualidad se halla inmersa en el proyecto de una nueva ópera sobre el compositor cubano Caturla, titulada "La muerte de Caturla", labor que realiza con el compositor James Lewis.

## Ileana Fuentes

Ileana Fuentes es autora feminista, crítico cultural y traductora. Sus escritos figuran en diversas publicaciones y antologías. Fue directora del Museo Cubano de Arte y Cultura (EU) y es co-autora de *Outside Cuba: Contemporary Cuban Artists* (Fuera de Cuba: Artistas cubanos contemporáneos) (New Brunswick: Universidad de Rutgers y Miami: Universidad de Miami, 1989).